キッパリ!

たった5分間で自分を変える方法

上大岡トメ

GENTOSHA
幻冬舎

だらだら地獄を、抜け出すには？

仕事しなきゃいけない。
お茶碗洗わなきゃいけない。
おフロにも、入らなくっちゃいけない。

わかってるんです！
「どうしようかな、やろうかな」と考えているくらいだったら、
とっととやったほうが早いってこともわかってる。
でもね、こうしてだらだらしてるのって、気持ちいいー。

そんな時は……。

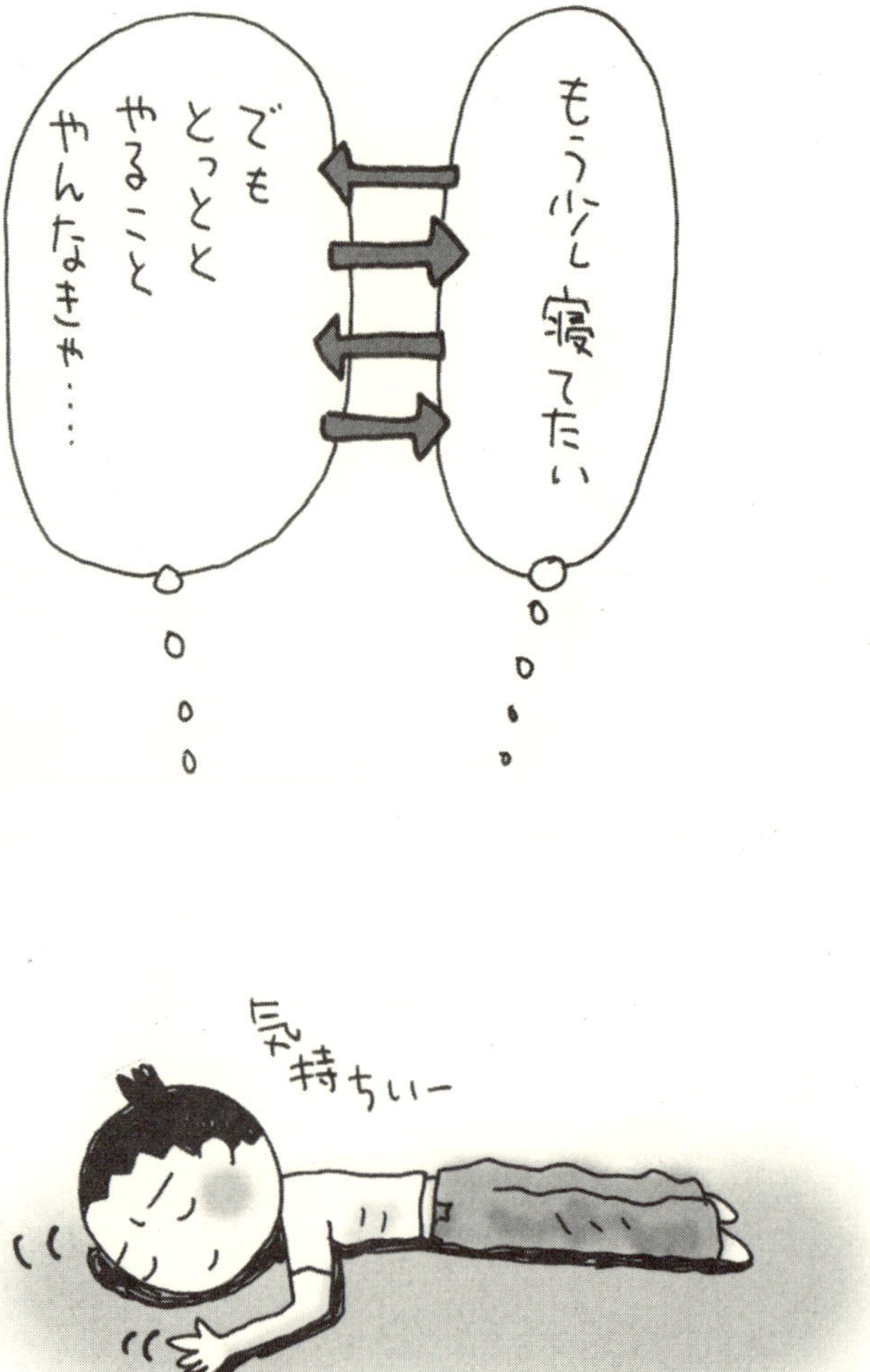
もう少し寝てたい
でも とっとと やること やんなきゃ……
気持ちいー
ゴロゴロ

脚に
力を
入れろ！

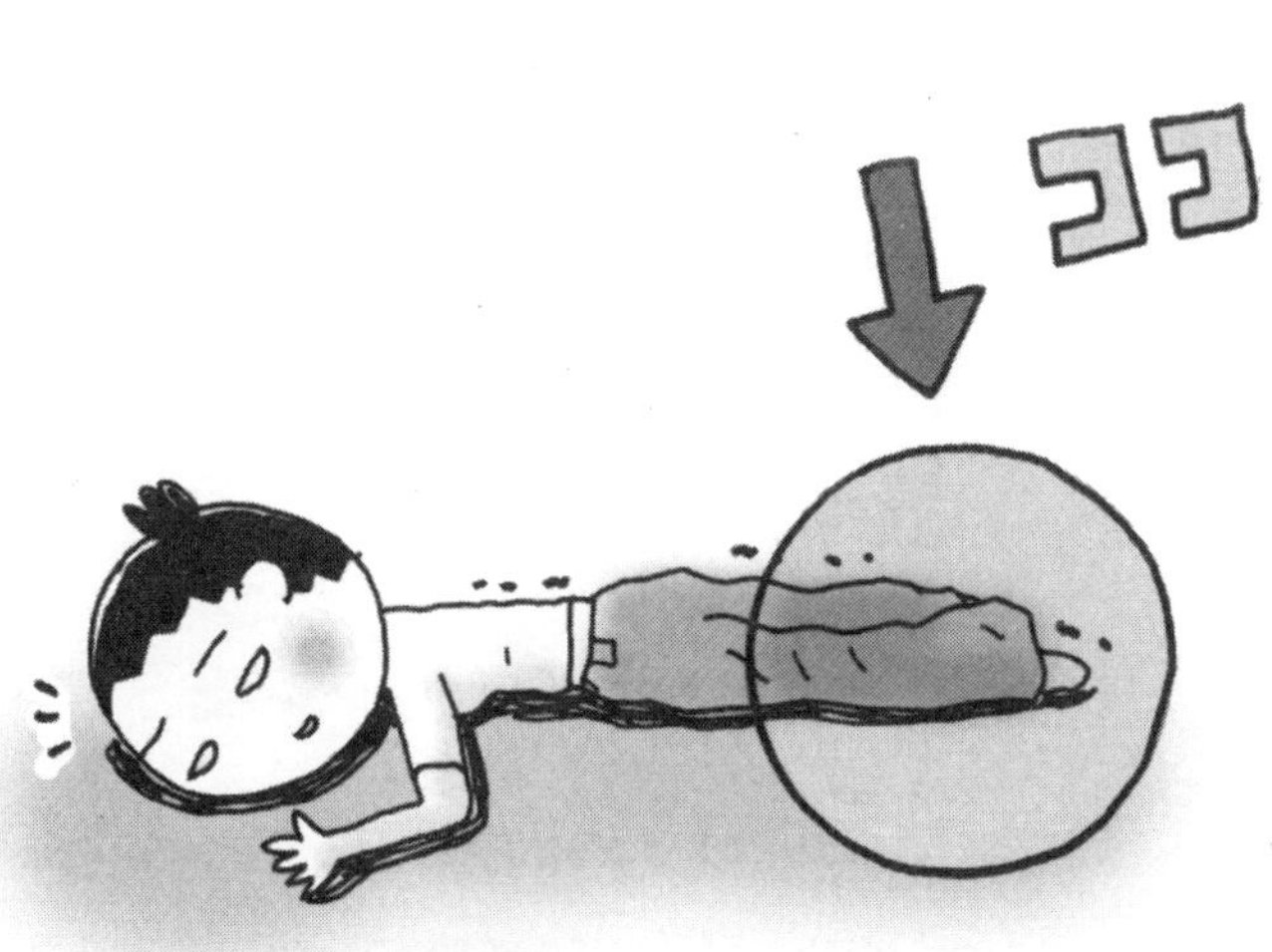

ずりっ
ぐぐぐっ
ぐぐっ

ぐぐっ
もう一息!!

天高くコブシを突き上げよう!!

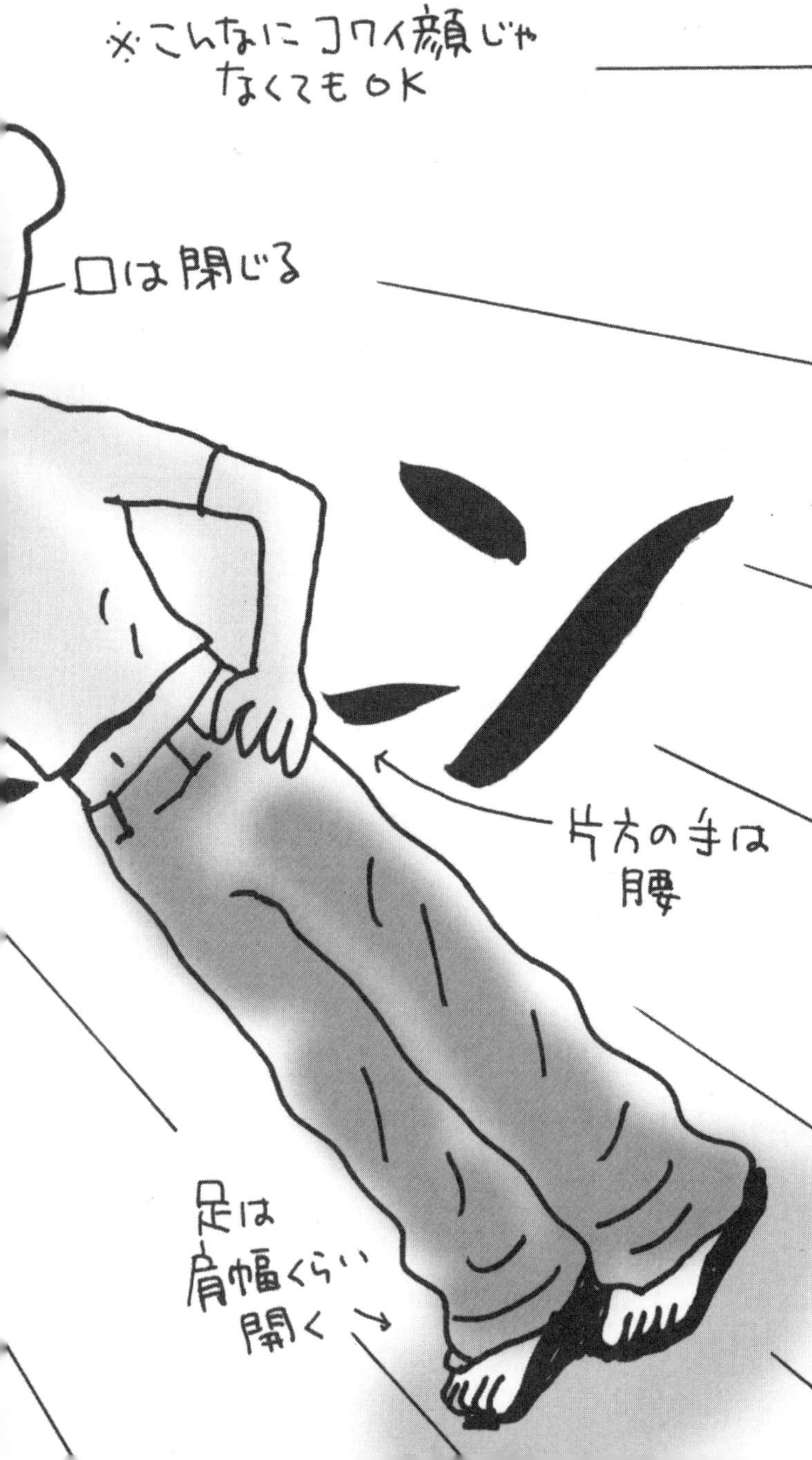
※こんなにコワイ顔じゃなくてもOK
口は閉じる
ン
片方の手は腰
足は肩幅くらい開く

ギュッと
にぎる
目線の
角度
60°
シャキ

そんなにカンタンに抜けられないと思うでしょ？

ホントだよ。ウソだと思うなら、やってみてください。

調子づいてきた何でもできそう
ついでにやっちゃえ-！
テキパキ

ついでにやっちゃえ-
テキパキ
ザー…
ついでに…
テキパキ

もくじ

頭の中から、変えてみる！ 41

気持ちから、変えてみる！…………67

カラダから、外見から、変えてみる！ …… 99

コミュニケーションから、変えてみる！ 123

デザイン……川名潤（Pri Graphics）

はじめに

この本を手に取ってくださってるあなた！

ページをめくってる、ということは少なからず、

「今のままの自分」


に疑問を持っているのでは？

ここに60個のカンタンに自分を変える方法があります。今すぐできてかんたん、お気楽、たいした覚悟もいらない、大金もかからない。時間も5分で十分。たとえ5分でできなくても決断は5分とかからないものばかり。

読んでみて「できそう」と思ったら、とりあえずやってみてください。

ささいなことで、**キッパリ！　自分って変わっちゃうんです！**


私が「自分を変えたいーっ！」って腹の底から思ったのは、今から5年前のこと。33歳の時でした。

1人の友人に「人の立場もわからない、傍若無人でデリカシーのない奴」と言われたのです。

その友達は信頼する人だったのですごく大事にしていました。ところがどっこい意に反してまったく逆に私の姿が映っていて、おまけに知らないうちに私の言動で傷つけていた。

ものすごいショック！

ちょうどその頃は、仕事も思い描くとおりにいかない、人間関係もすっきりしない、2人のコドモたちもまだ小さくて手がかかる、なんだか自分のまわりがガタガタしているように感じていました。そんなことも重なり、自分がとてつもなくイヤな奴に思えてしまった。

自分の中にあった「自信」というものは、ガラガラとすべて崩れ落ち、それまではいろんな人に会って話を聞くのが好きだったのに、人に会うのも怖くなりました。そして、そんな自分がますますキライになる。自分を受け入れられない、もうどろどろの悪循環迷路地獄。

その後、しばらくは軽い引きこもり状態になってしまいました。

ところが自分がキライだと、あまりに日々がつまらない。そのことに耐えられず、半年たった頃なんとかしようと思い始めたんです。

「楽しくしたい」→「どうすれば楽しくなる？」→「自分が好きになる、でも今の自分はキライ」→「どうすれば好きになる？」→「今の自分じゃなくなる、自信を持つ」→「自分を変える」

でも具体的に「変わる」ってどういうこと？

「ナスカの絵」も見る場所を
変えたから わかったのだ。

まずは今までと物事の見方を変えていこう、と考えました。例えばコップに水が半分入っている場合、それを「もう半分しかない」ではなく「まだ半分ある」と思えるようになる。また、まわりの環境はカンタンには変えられないけど、自分の今いる場所を変えてみよう。そうしたら見える景色は変わるよね。じゃあ具体的にどうやって自分を変えていこう？

そんな時にある本を読んでいて、ふと目に留まったコトバがありました。

「大きい変化は小さい変化から」

大きな変化は結果が出れば劇的だけど、いきなりチャレンジするにはハードルがものすごく高く感じる。でも、もし最初はまたげるくらいのハードルだったら、勇気も決断もそんなにいらない。そしてだんだんハードルを上げていったらどうだろう？

まずはいつも自分が普通に、自然にやっていることを変えてみよう。昨日しなかったことを、今日してみる。それも5分くらいでできること。5分だったらどんなに忙しくてもできそうな気がするし、お金もたくさんかからなければ、続けやすいかも。

この趣旨をもとに、女性サイトShes net（http://www.shes net/）で、「5分で自己改革」というコラムの連載が、スタートしました。

その企画に連動して、とにかく思いつくことをはしから挑戦！　その数は１００を超えてます。

「これなら自分にもできそう」と思えるカンタンなものばかり。その中から自分がやってみて、効果があったもの、また一度で終わっちゃったけど続けてみたいな、と思うものを絞りに絞って60個厳選しました！

「知ってる」ではなく実際にやってみてください。ほんのささいなことでも自分でやろう！　と決めたことができると、達成感から自信になります。小さな自信はやがてちりも積もって勇気になる、そうしたらどんどん次にチャレンジをしたくなって、やがて大きな変化を生む。そう信じています。

アカンボの時は越えられないハードルも
?
成長すればなんなく越えられる
ひらり
今、目の前に立ちふさがる壁も
どーん
高い…
自分の器が大きくなれば
越えられる
なんだ思ったより高くないじゃん
キャー
怪物!!
キャー
キャー

この本の使い方

コンテンツは全部で60項目（イントロの「だらだら地獄～」を入れると61項目）あります。変える場所によって5つに分けていますが、どこから始めても、どの順番でやってもOK。

また5分でできちゃうものもあるし、できないものもあります。でも、やる、やらないの決断は、5分もかからないでしょう。

❶自分を振り返ってみる。

もし今の自分に変えたいところがあったら、次のページの人型にどんどん記入しましょう。また同時になりたい自分も具体的に考えてみてください。書き出すことで、イメージがわきます。

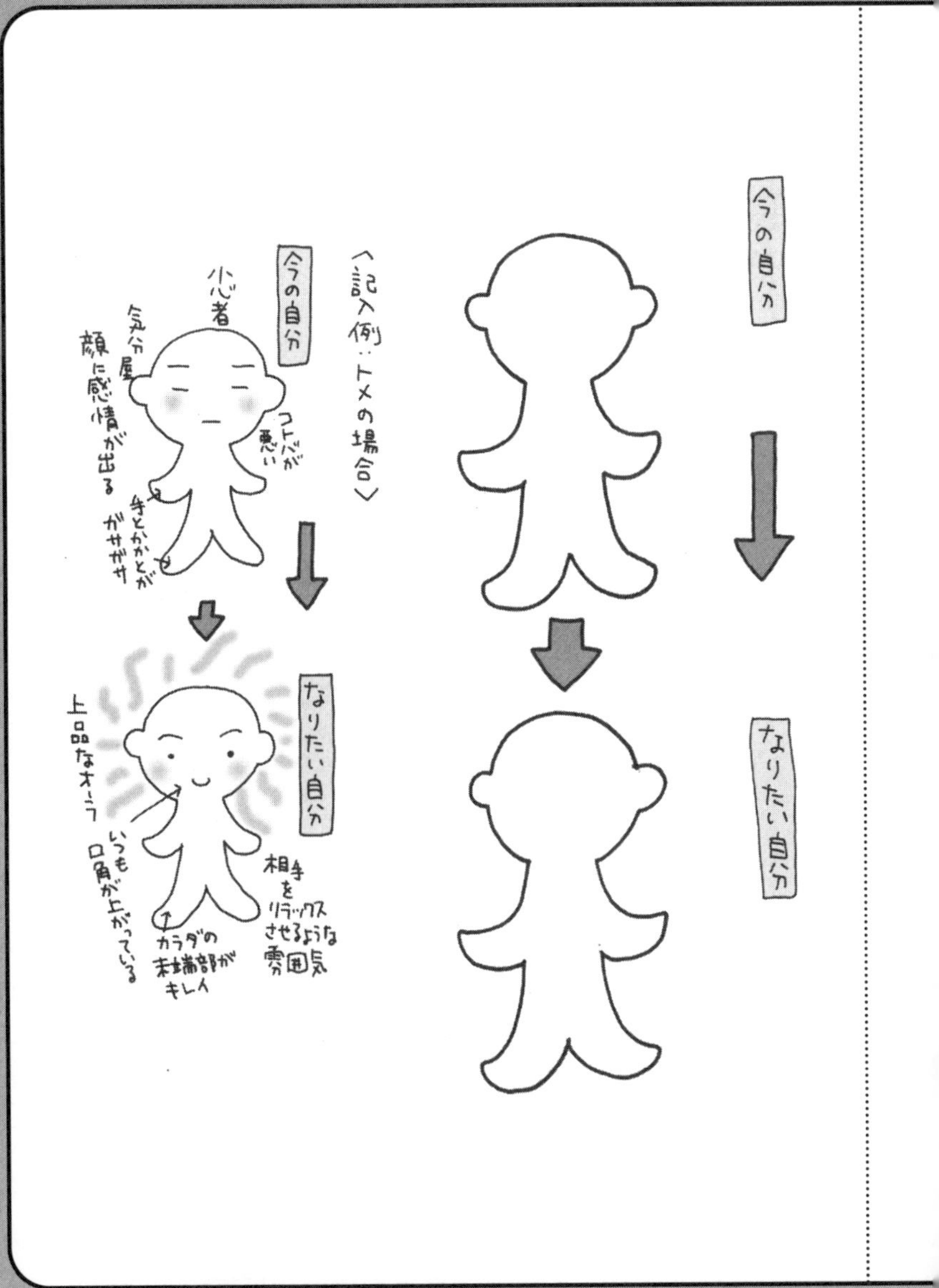
今の自分
なりたい自分
〈記入例：トメの場合〉
今の自分
小心者
気分屋
顔に感情が出る
コトバが悪い
手とかかとがガサガサ
なりたい自分
上品なオーラ
いつも口角が上がっている
カラダの末端部がキレイ
相手をリラックスさせるような雰囲気

❷「できそう」と思うコンテンツにチェックをしてみる。

本文各ページにチェックする場所があります。

「できそうなもの、やってみたいもの」……は実線の□にチェック　⧄ ←こんな感じ

「今はできそうもないけれども、いつかはやってみたいもの」……は破線の⬚にチェック　⧄ ←こんな感じ

忘れないように、読んだその場でチェックしてみましょう。

❸まず1回、チャレンジしてみる。

1回チャレンジできたら、その項目の⧄にチェックをしてみましょう。　☒ ←こんな感じ

チャレンジしてみた項目が、

- ●1〜10個　ちょっとドキドキワクワクする。
- ●11〜20個　毎日が以前にも増して、楽しくなってくる。
- ●21〜30個　いつも見る景色が、変わって見えてくる。
- ●31〜40個　「今、こんなチャレンジやってる」とまわりの人に言いたくなる。

●41～50個　「何だか雰囲気がちょっと変わったね」と、まわりの人に言われる。
●51～60個　**キッパリ！**　それまでの自分と変わった。
あくまでも目安です。参考までに。

❹続けたいものは、続けてみる。

続けたいものは是非続けてください。どのくらい自分の中で定着したかは、巻末のチェックリストを参照してください。

❺「挫折」はない。

一日坊主でも三日坊主でもOK。1日休んで、また始めればいいのです。忘れちゃっても、思い出したところからまた始めましょう。できないからって自分を責めてへこむことは、全くありません。

気楽に「ふふん」と始めましょう。

ホントに変わると思ってないでしょ？
フッフッブッブッ
やってみてのお楽しみ

身のまわりから、変えてみる！

01

脱いだ靴は、そろえる。

CHECK! □

玄関のドアを開けた瞬間、あっちこっちを向いた無数に転がる靴。
「うーむ、この家には、何人の人が住んでいるんだ？」
と思わず疑問を持ってしまう光景は、お世辞にもいいものではないです。おまけに臭《にお》ってきそう。

玄関は訪れる人に最初に見せる顔なのだから、ここだけでもキレイにしておきたい！　と思って靴をそろえることに気を遣いだしたら、いつの間にか乱れた靴は見逃せなくなってしまいました。そして我が家の家訓にも、「脱いだ靴をそろえる」は徹底すべく最重要課題に位置づけられることになったのです。うちに遊びに来る小学生たちも、例外なく靴をそろえさせられます。

慣れないと初めはめんどうに感じるかもしれないけれど、帰る時にそろっている靴にすっと足を入れるのは、結構気持ちがいい。ちょっとしたことなのに、かなり気分が違うんです。またこれはだいぶあとになって気づいたのですが、「あとでではなく、その場でやる」という発想にもつながるんですね、これが。それに、男女問わず脱いだ靴をそろえようとかがむ動作の間は、なかなかいいものです。

バルコニーのサンダルも、トイレのスリッパも、居酒屋のスリッパも、気になったらその場でそろえちゃいましょう。

旅館の宴会場で—
乱れているスリッパも許せないっ
お客さまっ手前どもでしますからっ
くるっ
くるっ
くるっ

めんどうくさくても、気分の先取りをしよう。

02

処分したい新聞、雑誌は、中身を見ずにさっと束ねる。

CHECK! □ □

気がつくと、新聞、雑誌がどんどん部屋の中で増殖中。

仕事で頂く雑誌もかなりあるけど、自分で特集タイトル見ての衝動買いもかなりあります。

ところがそのお目当ての特集記事はあっという間に読み終わり、役目を果たした雑誌は部屋の隅に重ねられていく運命。しかしいざ捨てよう!　としても他のページを読んでないか

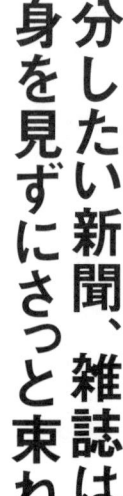

ら、もったいなくて捨てられないんですね。いつかは今晩のおかずに、などと思っているレシピ特集は最たるもので、ページをめくるだけでおなかいっぱい、作ったためしがナイ。でも捨てられない!

そんなふうに思っているうちに、同じようなテーマの特集を新しい味付けで組まれた最新号が、店頭に並んでいる。そしてそれをまた買う……。

いやっ、それじゃあ永遠に雑誌の増殖は、止まらないじゃないっ。

それなら、こんなルールを作ってみましょう。毎月買っているグラビア誌は6冊になったら前の号を処分する、情報誌やマンガ誌は次の号を買ったら処分するとか。そして雑誌、新聞とも気になる記事は読んだ瞬間に切り取ってスクラップにする。でも切ってすぐ貼る「まめさ」があれば、たまることもないんですよね……。

まあ、むやみやたらに雑誌を買わない、ってことが、一番重要なんでしょう。

思いがけずに出てきたアルバムは中身を見ずにとっと元に戻ろうでないと……
みんな小さかったたな…
私も若いっっ。
なつかしーっ
Photo
Photo
…今日は終わった…

雑誌にも、賞味期限をつけよう。

03

冷蔵庫を片付ける。

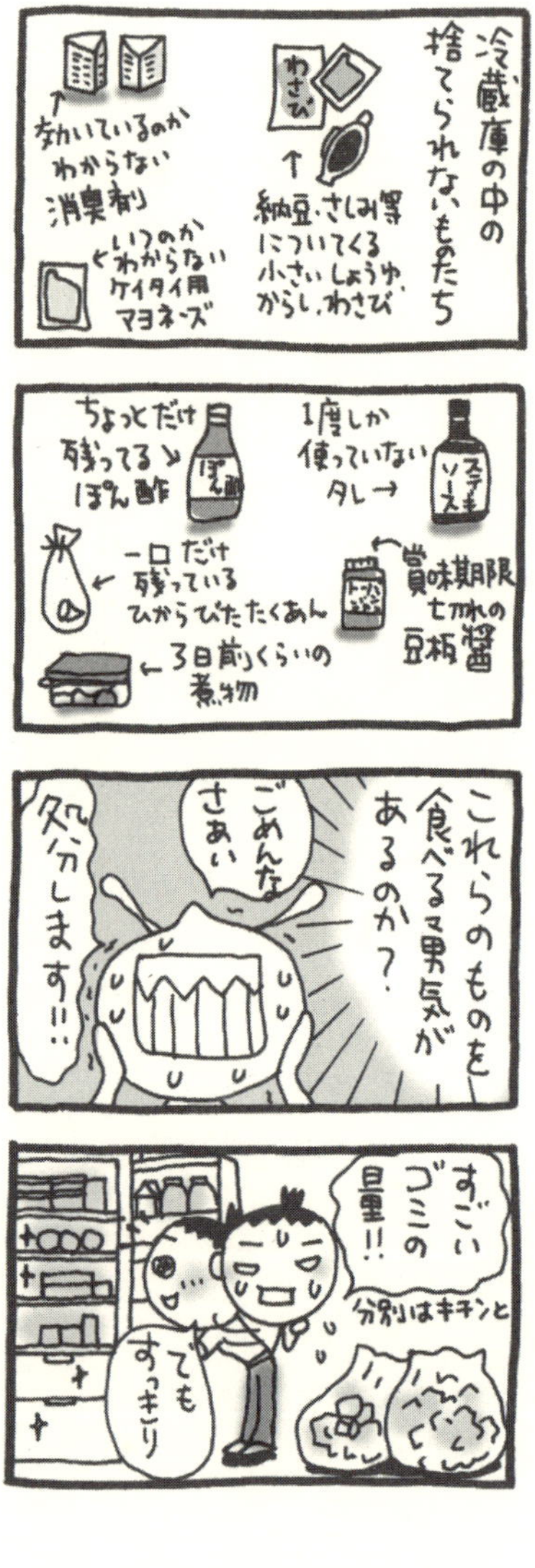

冷蔵庫の中の捨てられないものたち
わさび
納豆、さしみ等についてくる小さいしょうゆ、からし、わさび
効いているのかわからない消臭剤
いつのかわからないケイタイ用マヨネーズ
1度しか使っていないタレ
ちょっとだけ残ってるぽん酢
賞味期限切れの豆板醤
一口だけ残っているひからびたたくあん
3日前くらいの煮物
これらのものを食べる勇気があるのか?
ごめんなさあい
処分します!!
すごいゴミの量!!
分別はキチンと
でもすっきり

CHECK! □ □

いろんな人がよく使う場所って、ごちゃごちゃしがち。

ところがいつもごちゃごちゃしている状態を見ていると、いつしかそれが当たり前で、キレイにしようという気持ちがマヒしてしまうんですよね。うちの場合は、冷蔵庫がいい例です。突然来訪した友人を家の中に招けても、絶対冷蔵庫の中は見せられない。

「とりあえずとっとく」、「いつか使うかも」のもので、冷蔵庫は常に混雑状態。だから同じものを買ってきてしまう事故は多発するし、あちこちで謎の液ダレが発生、奥のほうで変わり果てた食材が……。

ということで次の2つのボーダーラインで、冷蔵庫の大掃除を敢行することにしました!

「賞味期限を過ぎたもの」と「食べる勇気がないもの」は、もったいないけど処分の道へ。やってみてびっくり! これだと迷うことなくものの5分で、冷蔵庫の中はとってもすっきりしてしまうんです。

一度片付くと次からキレイに入れようとするし食材の残りもわかるから、いつも悩むごはんのメニューも決めやすい。この箱の中をきれいにしただけで、かなり心に余裕が生まれたのです。やったぁ!

これで突然訪ねてきた友達が、つかつかと入ってきて冷蔵庫を開けられても大丈夫。

ひんぱんに使う場所をキレイにすると、心に余裕ができる。

ひゃ〜〜 これ何だろう?? 霜がついてて さっぱりわかんない
冷凍庫も なかなかスゴイ…
娘が一口だけ食べたアイス
いつのかわからない残り物カレー
袋の口が開いたままの肉まん
つり用のエサのエビ
ケーキとかについてくる保冷剤。こんなに使うかっ!!

04

光るものを磨く。

CHECK! □

気分がもやもやする時は部屋の中のものを磨こう!!
窓
ライト
食器棚のトビラ
するとー
部屋の中が明るくなった!!
ぱあっ
いつも使ってるグラスもクレンザーで磨いてみよう
キュッキュッ
底のネームが入っている部分もハブラシで
いつも飲んでる水がさらにおいしく感じる
心も磨けた気分だよ
カロン…

なんだか気分がよどんでる〜、すっきりしない、という時は、まわりにあるものを磨いてみましょう。

いつも水を飲むグラス、ケイタイの画面、部屋の窓、洗面台の鏡、いつも持ち歩くパウダーケースの鏡、食器棚のガラスの扉、テレビの画面。目についたもの、小さくてちゃちゃっと気軽に磨けるものがいいですね。

とにかくキラリ、ピカリ、と光らせてみる。

磨くものは、タオルでもキッチンペーパーでも、もちろんぞうきんでもOK。ティッシュはケバケバが残るので、あまりお勧めできません。余裕があればクレンザーなど使うと、より輝いて完成度が上がります。

磨けばすぐ「キレイになる」という目に見える結果は、小さくても「わぁ」という達成感があるんです。自分の気持ちも、何かを磨いていると一緒に汚れやサビが落ちて、すっきりピカピカ光ってくる気がするし。

私に効果絶大なのは、ステンレスのナベ磨き。キレイなナベだと、料理するのも嬉しくなる。そういえばイチローが「磨いたグローブで練習した時は、汚いグローブで練習した時よりも頭や体に残る」って言ってたなあ。

その調子で気持ちが明るくなったまま、するべきことにとりかかってもいいし、まだ磨き足りない人は家中の窓ふきでも、車を磨きに行っちゃってもいいです。

すぐ目に見える結果は、気持ちを明るくしてくれる。

05

水の流れる場所を、キレイにする。

CHECK! □ □

文句やグチはフロの中で思いっきり言っちゃえ
□×○△
×△
ゴボゴボ
ゴボゴボ
その後は栓をぬいてそうじだ!!
ズバン
ザッバー
弱音
グチ
文句
フロもキレイになったし
自分も**スッキリ**

「いいことも悪いことも、同じ場所にためてはいけない。どんどん水に流して、新しいものを呼び込むの。だから私はすべてのことを流せるバスルームが大好き。いつもキレイにしているのよ。それが強運になる秘訣ね」

洋服のブランド、フォクシーのオーナーデザイナー・前田義子さんの本に、こんな意味のことが書いてありました。

目からウロコが落ちた。

「悪いこと」はとっとと水に流してしまいたいけど、「いいこと」はつい手元においていつまでも反芻《はんすう》したくなります。でもそれすらもさらっと流してしまう潔さ。うわーっ、見習いたい！

要は、どんどん代謝させる、っていうことですよね。確かに水が循環しているプールも、お湯が循環している温泉も、ためているものより数倍気持ちがいい。

もしかして、頭の中もそうかも。浮かんだネタを出し惜しみしてためておくより、かたっぱしから出していったほうが、どんどん新しいネタが出てくる気がする。

この文を書きながら、最近お風呂掃除が手抜きになっているので、再び決意！　キレイにしよう。

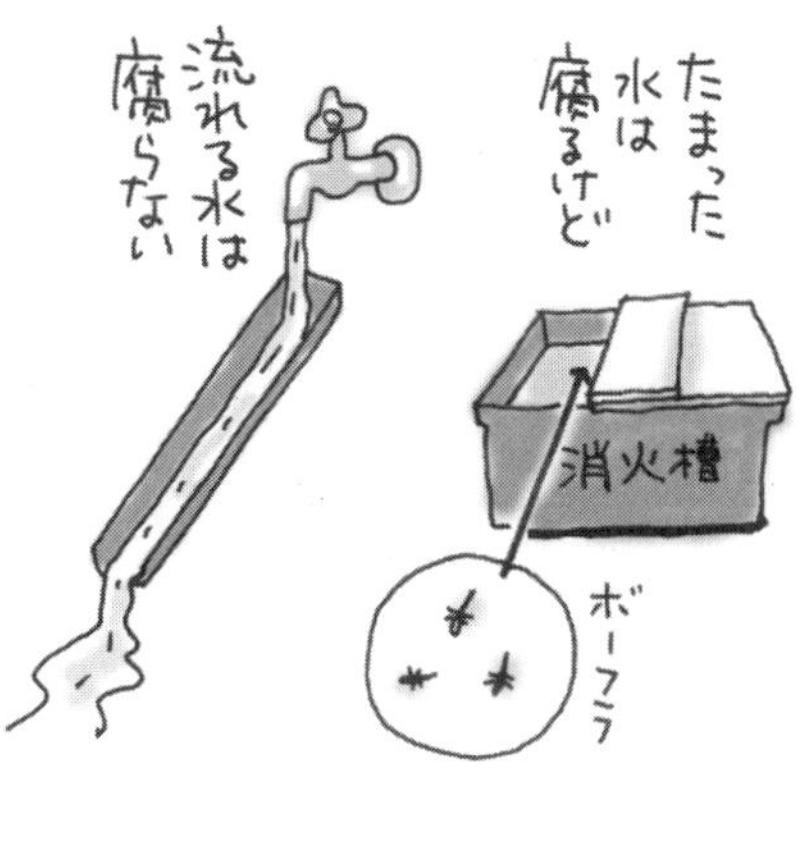

「いいこと」も「いやなこと」も水に流して、次に行こう。

06

今日出したものは、今日中にしまう。

CHECK!

散らかりやすいものとその対策
郵便物
ポストから取ってきたらすぐ開封・処理
コドモたちが学校から持って帰るプリントの数々
テスト
たより
専用ファイルをつくる
外出から帰ってきて脱いでそのまま椅子にかけられた洋服
ハンガーまたは洗濯カゴへ
使った食器
洗って食器棚へ
とりこんだ洗濯物
とっととたたんでタンスへ
買ってきたもの
肉・魚、なま物
冷蔵庫
トイレットペーパー
ティッシュ
所定の場所へ
たまりやすい新聞
束ねる
まずはそれぞれ居場所を作らなくては!!
そこからだ

わかっちゃいるけどできない、最たるものです。

家族が使う場所、訪問者の目に触れる場所は、家族みんなにもハッパをかけてなんとか片付けるけど、仕事部屋となると、どうもうまくいかない。

私は自宅就労者ですが、「今日はこれまで」っていう時間的けじめをつけるのが苦手なのです。「あわよくば晩ごはんのあと、もう少し仕事をしようかな」などと考えているから。たいていその考えは実行できず、寝ちゃうんだけどね。おまけに、頭のどこかで「また明日出して使うから、今日しまわなくてもいーじゃん」という甘えた気持ちもあるのでした。そんなことをしているから、机のまわりは資料がジュラ紀からの地層のように積み重なり、望む資料を探すのに時間がかかってしまう。

　こうなったら、「あかずの間」と称してきた仕事部屋を開放し、これからは来客をそこにお通しするようにしようか、と思ったけどあまりにハードルが高いので、今は、「週1回、掃除機をかけられる程度にしておく」を目標に片付けに精を出している次第です。机の上がキレイだと、翌日すんなりと仕事に入れるからね。

　気持ちをリセットして気持ちよく明日を迎えるためにも、しまうのだ。

今日つくった食べ物は今日中におなかにしまおーっと
もぐもぐ
残り物
これは絶対にやめよう!!

今日出したものは、今日中にしまえる量のはず。

頭の中から、変えてみる!

07

忙しい時は、「やらなきゃいけないこと」をすべて書き出す。

CHECK! □ □

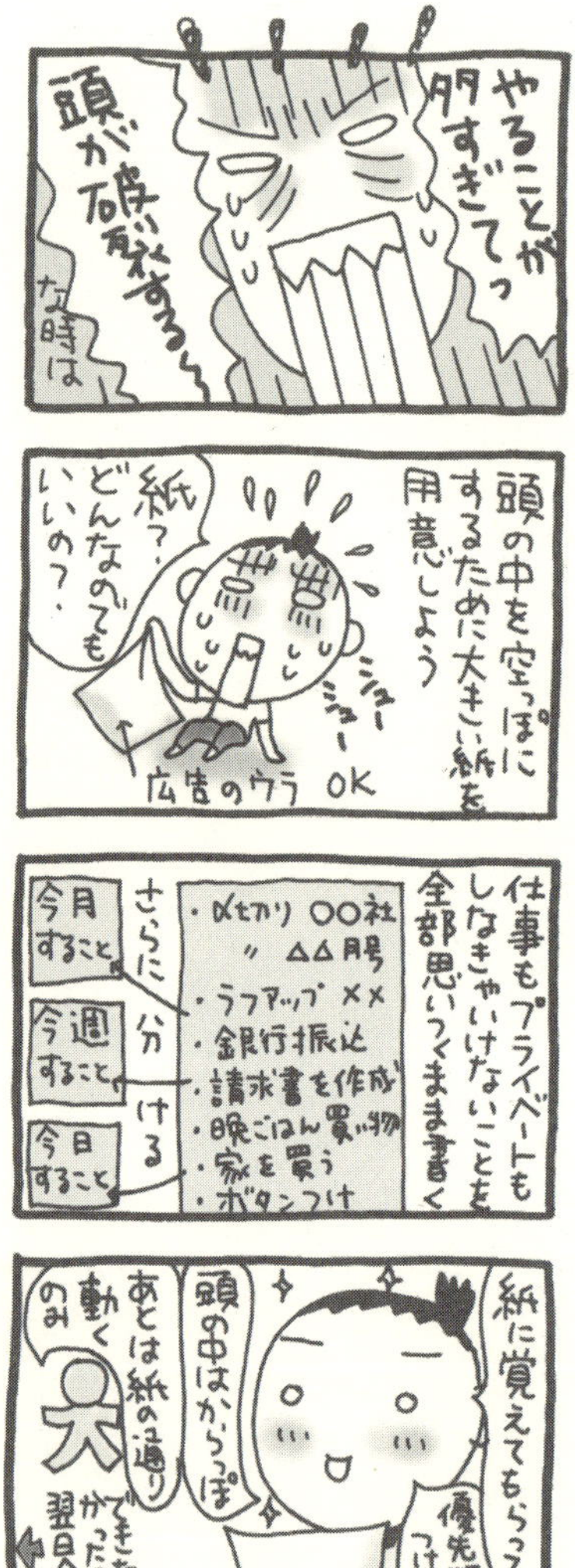

仕事に関わることだけではなく、ふつうに生活をしていても、やらなきゃいけないことって、たくさんあります。毎日のごはんやコドモ関連のこと、銀行や郵便局に行ったり、明日着ていくシャツのボタンつけなど。

ギャー、考えるだけで気ぜわしい！

そんな時は、とにかく紙に「やらなきゃいけないこと」をずらーっと書くことにしています。仕事もプライベートも何もかも、思いついたこと全部。

ものごとがうまくいくかいかないかの差は、〝自分の直感〟を生かすかどうかにかかっている、という話を聞いたことがあります。頭の中をスッキリからっぽにしていると、〝直感〟が来た時に気づける。それですぐ行動できたら、ＯＫ。ところが頭の中がごちゃごちゃしていると、その〝直感〟にすら気がつけない。だから、頭の中のことは、すべて紙に書けと。

書き出したらあとは優先順位をつけて、いつやるかを決めるだけ。それを目につくところに貼っておいて、終わったものから×印を書いていく。できなかったことは、あきらめずに次にやる日を決めてあげましょう。

紙に書いていると集中力が出て、不思議といろんなアイディアが出るんです。

書いた紙をなくした～
バサッ
バサッ
バサッ
こんなことはないように…
ゴミ箱

紙に覚えてもらって、頭の中は空けておこう。

08

ダジャレ、なぞなぞを考える。

CHECK! □ □

コドモとオヤジはダジャレが好き。
コドモの場合はボキャブラリーを増やす意味もあるのか、学習教材の中でも結構積極的に取り扱ったりしています。なぞなぞも多い。これが結構オトナには答えがわからないんだ！悔しいことに。

なぞなぞもダジャレも言葉遊び。頭が柔らかいコドモたちの発想は、とどまるところを知らない。毎日毎日しょうもないダジャレを、

「これでもか!!」

と乱発してきます。そういえばオヤジもダジャレ好き。オヤジとコドモのダジャレ好きは、共通する理由があるのかな？　なんだかちょっと気になります。

いずれにせよ、コドモのダジャレは南風のようにほっぺたにくすぐったくても、オヤジのダジャレは超寒波。

たまにはダジャレ、なぞなぞを考えて、既成概念でカチカチになった頭をほぐしてみましょう！

小学3年(8歳)の息子がつくったダジャレ
こたつの中でちんこたつ!!
と言った瞬間
しまった!!
という顔になって逃げて行った^^;
ドッカーン
ぴゅっ
もうたつか!

「くだらない」で片付けないで、「くだらない」ことを考えて頭の体操をしよう。

09

メモ帳を持ち歩く。

CHECK! □ □

いつもカバンの中に、2冊のメモ帳を入れています。

1冊は小さいスケッチブック。面白い人やものを見たらスケッチしたり、待ち時間の合間にネタを考えたり、落書き帳みたいなものです。もう1冊は、手のひらに入るくらい小さいメモ帳。

まず日付を書いて、そのあとに覚えておきたいことを書きます。例えば友達に教えてもらった本や面白そうなマンガのタイトル、感動したコトバ、テレビを見てて行きたいと思った店、雑誌に載っていたお得情報、人に頼まれたこと、電話をしようと思った友達の名前、懸賞のあて先など。

また「これをこうしたらいいかも！」というアイディアも、もれなく書きとめます。07で書いた〝直感〟を逃しちゃあいけない。もう気軽にじゃんじゃんメモを取る。小さいからいつも持ち歩けるし、取り出しやすいんですよね。とにかく自分の記憶力は、アテにしちゃあいかんです。

実際、私は仕事のネタに詰まったとき、かなりこのメモたちに助けられています。読み直すといい気分転換にもなるし。私はアナログな紙のメモ帳だけど、ケイタイ電話にメモをしてもいいですよね。

自分がいい、と思った情報は、感じたその場で書く！

この間お願いした本持ってきてくれた？
しまった!! メモ帳を見るのわすれてた
「メモ帳に書く」「メモ帳を開く」両方の習慣を同時に身につけよう

書いたメモの中に、お宝が隠されている。

10 テレビのスイッチを切る。

興味を持って見る番組は
相互通行
ギン
ギン
なんとなくついている番組は
一方通行
でも気になってついつい見てしまう
そんな時は思い切ってテレビのスイッチを切るのだ!
ブツ
バシュッ
すると頭の中のテレビがつく
同時にすることを
米とぎ
煮物
フロを入れる
マンガのつづき
洗濯物をたたみながら次にすることを整理できるのだ
サッサッ

CHECK! □ □

私は学生の頃からラジオ党で、テレビはあまり見ないです。何故かというと、頭と手が止まってしまうから。テレビって見たいと思う番組じゃなくても、ついているとついつい見てしまうんです。

見れば見たで「へぇ、そうなんだ」と知らない情報をもらって得した気持ちになるけど、実はそのテレビを見ていた時間のほうが貴重だったりする。ダラダラテレビを見ていると、明らかに頭のスイッチはオフ状態。

かといって、テレビがキライというわけではありません。自分の見たいものは、ビデオにとってでも見るし、コドモたちとドラマやバラエティーを一緒に見て笑ってつっこんで、コミュニケーションのネタにもしています。

でも洗濯物をたたむとか食器を洗うとかの単純な作業でも、テレビをつけてないと、「いかに効率よく早く終わらせるか」とか「このズボンのすそあげをしなくては」とか「次はこうしてこうして」とかいろいろ気づいたりアイディアが浮かんだりするんです。ちなみに私は仕事でネタを集中して考える時は、ラジオも音楽も一切ナシ。

「何かしよう!」と思ったら、まずテレビのスイッチを切ろう!

テレビを見ながらの5分と、消してやった5分とは、内容の濃さが全然違うんです。

テレビを消して、頭のスイッチを入れよう。

あらっ この女優さん 離婚? そうなると 思ってたわー タイヘンねぇ コドモ小さいのに
まあまあ この人 久しぶり やせたみたい だけど病気 かしら?
スクープ離婚!!
テレビと同時に 頭のスイッチもON
ここまで テレビに つっこめる人は 別かも…

11

人と比べない。

ソフトクリーム
この「夏みかん」のソフトクリーム食べたかったんだー
ペロペロ
あっ「北海道バニラ」だ
いーな
この人はきっと「紫いも」
いーなょ
あっ
ボトッボトボト
夏みかんがあっ

CHECK!

時々、他の人のことが、ひどく気になることがあるんです。仕事の成果に始まって、持っているもの、着ているもの、住んでいる所、生き方なんかをね。ちょっと卑屈っぽくうらやましい。そんな時は、ああ、今ちょっと自分のしていることに迷っているなーとか、自信がちょっとなくなっちゃっているな、と自己診断しています。

それと同時に、無意識に自分よりちょっと辛《つら》い立場の人を、目ざとく見つけている。「この人より自分はまし」って、安心材料を探しているんですね。最悪……。そうなった時は、もう足は止まっていて先には進めない。人と比べることは、その人のものさしに乗っかっちゃってること。常に自分を否定して、受け入れることができなくなってしまいます。

人と比べ始めるとホントにキリがない、底なし沼みたいなもんです。比べる対象はどんどん変わっても、一生誰かと比べ続ける。誰かが立っていないと、自分の立ち位置がわからないような人生。絶対にお断り！　です。

そんな時は、今一度、自分のやっていることに集中!!
どんなことでも一生懸命やると、自信がわいてきます。自分が選んで上っている階段は、正しいんだと。

こういうのは「あり」だと思う
こんな家に住めるようになるぞー
がんばってこうなろー
ライバルの存在もOKだよね
自分の欲しいものを集めたスクラップブック

ナンバーワンよりオンリーワン。

12 自分の気持ちを、紙に書き出す。

CHECK!

心がもやもやする時用意しよう
お気に入りのペン
大きめの紙

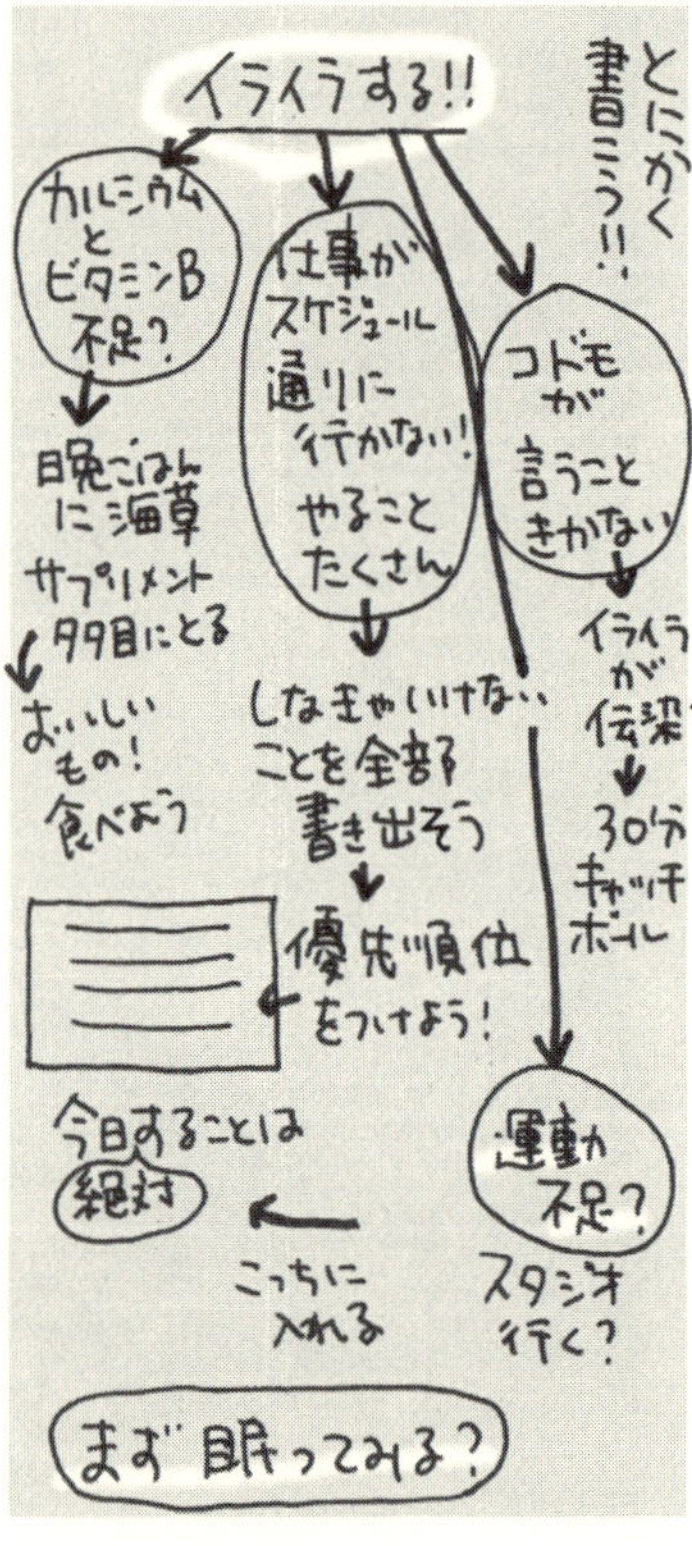
とにかく書こう!!
イライラする!!
カルシウムとビタミンB不足?
晩ごはんに海草
サプリメント多目にとる
おいしいもの!食べよう
仕事がスケジュール通りに行かない!!
やることたくさん
しなきゃいけないことを全部書き出そう
優先順位をつけよう!
今日することは絶対
こっちに入れる
コドモが言うこときかない
イライラが伝染?
30分キャッチボール
運動不足?
スタジオ行く?
まず眠ってみる?

自分のやっていることになんだか自信がなくて迷っている時は、思っていることを紙に書き出そう。

どんな紙でもOK。広告のウラでもコピーのウラでも。大きめのほうがいいです。だーっと書けるように。

初めに一番上に自分が抱えている問題を書きます。例えば「イマイチやる気が出ない」とする。それについて思い当たる理由をどんどん書いていく。「カゼ気味」「気がかりな仕事がある」「彼氏とうまくいってない」「人間関係に疲れた」とか。そしてその項目をどんどん掘り下げていきます。「気がかりな仕事」だったら何が気がかりなのか、問題は何か、何が障害になっているのか……どんどん書いていく。自分の思いも、「でも、これは難しそう」とか。書きながら「そう、そう」ってうなずく自分がいる。なんだかほっとするんです。

そして「じゃあどうすれば解決しそうか？」「それは可能なのか？」「自分はそうしたいのか？」というところまで書き出してみる。不思議なことにたいていの場合、どうすればいいかの答えは、すでに自分の中に持っているんですよね。文字にすると「やっぱりこれしかないんだ」と今からやることがはっきりわかって、背中を自分で押せます。

やってみてまた迷ったら、どんどん紙に書いて問いの答えを探してみましょう。

答えは自分の中にある
どんどん問いかけて答えを出そう

紙に書くことで、客観的になれる。

13

急いでいる時こそ、字をていねいに書く。

CHECK!

今日中に請求書を書いて送らなきゃ!!
2004
7
5 6 7
12 13 14
急げ〜っ
もうすぐ郵便の集配時間
あっ先方の所に自分の名前を書いちゃった!!
書き直し
急げ〜っっ
あっ口座番号間違えた!!
あーん請求書の用紙がなくなっちゃった
結局今日は間に合わない〜
文房具

ついつい走り書きしてしまうんですよね、銀行とか郵便局の振込用紙のたぐい。

ところが「読めればいいい」、と思って急いで書いた字があとで読めなかったり、間違って読まれたりする。

実は私、絵の下書きに描いた自分の文字があまりにキタナくて、あとになって自分でも読めなかったということが結構あるんです。書き直したり解読したりで、結局二度手間になっちゃったりする。

それだったら、最初から字をキチンと書こう、と思います。

「字をゆっくりきちんとていねいに書く」というのは、バタバタしててもちょっと落ち着けるんですよね。冷静になれるというか。「書道」もそうだけれども、字の前だと精神統一しやすいのかな。

それにゆっくり書いても走り書きしても、そんなに時間は変わらなかったりするんです。

急いでいる時こそ自分を落ち着かせるために、字をていねいに書きましょう。

精神統一!!
最初から集中して
ていねいに
書けばいーのだ

ちょっとの時間でも集中すると、落ち着く。

14

食べたものを、書きとめておく。

CHECK!

HPに「トメんちの晩ごはん」というコーナーを作っていて、その日の晩ごはんのメニューを書いています。

毎日の献立を考えるのは、台所を預かる者にとってタイヘンなこと。読んだ人の手助けになれば、と始めたんだけれども、気がついたことがあるんです。晩ごはんのメニューとその

その日あったことも、思い出せる。

日あった出来事が、連動して記憶されているということ。

例えばこの日の一品は、昼間遊びに来た友達のおすそわけだの、この日は締め切りだったから手を抜きまくっただの。メニューを見るとどんな状況でどんな気持ちで晩ごはんを作って食べたか、ということがヒジョーに鮮明に思い出されます。晩ごはんに限らず食べたものとその時の出来事、感情はかなり密接。

例えば小学校の給食のニオイをかぐと、暗い理科準備室の人体模型を思い出します。小学生の頃、給食室と理科室が近くて、給食の前にこっそり見に行ったことがあるから。まだ知り合って間もない彼が目の前で食べていたのは、アサリとにんにくのスパゲッティー。その姿を見てその人に恋をした。

食べたものとその時の感情が、何年たっても生々しくよみがえります。

これって食い意地がはってる、私だけなのかな？

15

口癖を変えてみる。

CHECK!

カップ半分に入ったコーヒーをどう言う?
もう半分しかない
or
まだ半分ある
しっかり持つのよ
そーっと
そーっと
こぼす率
10%
こぼしちゃダメよ
こぼす率
96%
ごはん食べないと大きくなれないよー
ごはん食べたら大きくなるよー
どっちが大きくなれそう?
同じ意味でもプラスのイメージができる言い方で
プラス
イメージ
そっちの方がうまくいきやすいよ

脳って、だまされやすいそうです。

何に一番だまされやすいかというと、「自分の口から出たコトバ」。一番近くに響くコトバだから。

おー、なんだかそれならカンタンにだませそう! 口癖を変えればいいのだ。

実際どうやって変えればいいかというと、「プラス」の表現をするんです。

次の例は言っている意味は同じなんだけど、言い方をプラスにしたものです。

「クライアントを怒らすような企画を出すなよ!」

↓

「クライアントを喜ばせるような企画を出せよ!」

とかく日本人は「〜しなかったら、〜できないよ」と二重の否定をしがち。そこのところを変えてみましょう。「〜したら、〜できるよ!」って。

もし、うっかりネガティブなことを言ってしまったら、

「なんちゃって」

と言って打ち消すことも、お忘れなく。

車に水たまりの水をかけられても、その勢いで転んじゃっても
犬のふん踏んでも
全てはうまくいっている
って言うしかないじゃん
モアッ

「すべてはうまくいっている」を口癖にしよう。

16 迷った時は、勇気がいるほうを選ぶ。

今から15年前
よし！イラストを売りこみに行こう
初めはこの雑誌からだ!!
でもドキドキするな〜明日にしようかなあ
勇気を出して
電話をしよう!!
ガチャ
その電話でアポを取った雑誌が初めてのイラストの仕事になった
読者ページのタイトルまわり
そして今―
あの時勇気を出したから今の私がいる
でもいまだに新しい企画を見せる時はドキドキ
職員室でテストの採点をしてもらってる気分
編

CHECK! □

日常生活は、常に選択の連続です。

今、起きようか、あと5分寝ようか、朝ごはんはパンにするか、ごはんにするか……。

このくらいの選択にはそんなに勇気はいらないけど、迷った時は勇気がいるほうを選ぶようにしましょう。

例えば、今まで着たことのないようなデザインと色の服を着ようか、今まであきらめていた習い事を、思い切って始めようか、新しいクライアントを開拓するために、今まで行ったことのない会社に足を運んでみようか、あの立っているお年寄りに席をゆずろうか、好きな彼を映画に誘ってみようか……など。

私の場合の勇気ある選択は、絵や企画を初めての出版社に売り込みに行く時。今、電話しようか、それともまたの機会にしようか。

この本の企画もドキドキしながら勇気を出して、アポイントを取った結果なのです。

人生そのものが、選択なんですね。

勇気を出し惜しみしてきた結果が、今の自分。

17

一人、お店でごはんを食べる。

CHECK! □ □

ひとりで行くことにあこがれる店
その① 寿司屋
今日のおいしいのを適当に一!
へい
その② バー
誰だろう? オーナーの愛人?
ヒソヒソ
その③ 牛丼屋
つゆダクで
おしんこもください
行ってみたかった…
はい
その④ 焼肉屋
網変えてくださーい
じゅーじゅー

みんなとわいわいごはんを食べるのも好きだけど、一人でお店に入ってごはんを食べたりお茶を飲むのも、またいいものです。自分の食べたいものを自分のペースで食べて、一人でぼやんと考え事をしたり。

それに一人でお茶を飲んだりごはんを食べてる女性って、何だか謎めいててクールじゃない？「仕事は何？」とか「誰と待ち合わせ？」とか。ただしたいていその謎めいてる、と思われる人はキレイなのが条件なんですが。

先日私も、その「謎めいて一人でごはんを食べる女性」というのに挑戦してみました。

場所は福岡。「おいしい」と地元の友人に教えてもらったちょっと郊外のとんこつラーメン屋さんに、一人で行ってみた。お店のお客は、カップルや友達同士、家族連れ。私は講演会を聞きに行った帰りだったから、そこそこキチンとした格好でした。そんな女性が夜の9時も過ぎて、一人カウンターに向かう。ちょっと謎めいていい感じじゃない？　と自分に酔ってみる。ところが食欲には勝てず、ラーメンライスをたいらげたあと、つい、

「替え玉お願いします！」

あんまり大きくない、こぢんまりした店内のお客さんの視線が一斉に集まった。違う意味で謎めいたな。

「一人で食べ物屋に入れないい～」と思っているあなた、ゼヒ冒険してみましょう。

時には孤独を楽しもう。

ずーっと行きたかった銀座のうなぎ屋さんに1人で行った
うまい～
こんなにおいしそうに食べる女性のお客さんは初めて～
お茶どうぞ

18

「疲れた」と思ったら、とにかく眠る。

CHECK! □ □

どうしようもなく疲れたり、具合が悪い時は
もう集中力ゼロ
ひと晩何もかもキャンセルして
仕事も
習い事も
遊びも
家事も
とにかく眠ろう!!
今晩で元気になるぞ
自然治癒力をひと晩で総動員!!
それでもダメだったら翌日医者なりクスリなりにかかるのだ
自然治癒力の戦い

今の私の一番のテーマは「いかにごきげんでいられるか」です。そうしたら仕事ははかどる、遊ぶ意欲もわく。そのために私がよくやるのは、15分昼寝です。

ちょっと眠気がきた時に、作業を中断してタイマーをかけて15分ほど眠る。机の横で畳の上にごろんと横たわる。15分くらいだったら締め切り前の切迫した状態でもなんとか時間がとれるし、さっと起きられるのですぐ仕事が再開できます。1時間とか眠ると、かえって疲れちゃうんですよね。

私は幸いにしてお店でも、病院の待合室でも、車の中でも（もちろん車を止めて）、外のベンチでも、座ればたちまちすっと眠れます。特技といっていいでしょう。

夜もひどく疲れている時は、とにかく眠ることにしています。「今日はもうダメ」と思ったら、すべてをあきらめてとっととふとんにもぐりこむ。疲れていると決断も行動も鈍くなっているから、だらだらして作業も終わってないのに、結局いつもと眠る時間が同じになる、という一番疲れる結果になってしまう。

気合を入れて、眠る！

体力回復は、最優先課題。

気持ちから、変えてみる!!

19

難しい仕事は、カンタンな仕事をひとつ終えてからすぐにとりかかる。

CHECK!

仕事が忙しい時に限って何故か読むマンガが面白くて…
バン!
手強い仕事
逃避
アスリートも小学生も最初はカンタンな仕事から始める!!
柔道
ランニング
小学生
5分間ドリル
イラストレーター
郵便物の整理
それが終わったらすぐメインの手強い仕事にとりかかる!!
柔道
乱取り
小学生
難関応用問題
イラストレーター
さあ「ドカベン プロ野球編 全52巻」いっきよに読破だあ
違うだろ!!

「ちょっと手こずりそう」という仕事があると、机に向かうのに時間がかかるんです。違う場所でこっそりマンガを読んだり。こんな時に限って読むマンガが、また面白くてやめられない。

そんな時は、とりあえずカンタンなものから始めることにしています。そうすると、机に向かいやすいでしょ？どんなスポーツも最初はランニングだし、ピアノはちょっと退屈だけど音階で指の練習。小学生は5分でできるドリル。初めはそんな感じで、仕事だったらメールチェックや領収書の整理とか。最近私の場合は小さいスケッチブックに一枚好きな絵を描いたりして、あんまり考え込まないような作業をしています。ただしカンタンな作業はひとつだけ、と決めましょう。カンタンな作業もはまるとキリがない。それが終わったら次は中くらいに難しい仕事、といきたいところだけどここで一気に一番難しい仕事に取りかかるんです。ここがミソ。食前酒を飲んだら一気に肉を食う。スープ、前菜などはパス。

試験勉強を始めるつもりが、つい机の掃除に一晩かけてしまうような人にとってもお勧めです。

学生時代の試験前夜ー
あれ？何で大掃除してるんだっけ？
思い出せ私!!
ピカ
ピカ

難しい仕事に疲れたら、またカンタンな仕事をする。

20

花を生ける。

お花を習ったことはないけれど
好きなように生けてみよう
できた!!
なかなかいーじゃん
ところがー
ごちゃ
ごちゃ
花はキレイなのに部屋が汚い
花を生けることにこんな効果も
あったとは

CHECK! □ □

今でこそ私の部屋には緑を欠かさないけれども、以前はあんまり花に興味がありませんでした。

とにかくめんどうくさい。花を頂くのはもちろん嬉しいんですが、生けても水を替えなきゃいけないし、花粉や花びらも飛ぶ。「これなら大丈夫～」って太鼓判押された観葉植物で

一輪の花でも、やさしい気持ちになれる。

も、水をやり忘れて枯らすあり様。

ところがいつだったかあまりに仕事の締め切りに追われ、気持ちが殺伐としてきた時のこと、「このままじゃ人間性がなくなる〜」と思い、なんだか突然花でも生けてみようか、という気になったのです。

といっても花を生ける知識は何もなし。えいって、いつも水を飲むグラスに適当に好きなように生けてみると……。

あれ、なんだか部屋の空気が変わった！ 花のエネルギーが流れてくる感じ。

それ以来、最初はたくさん咲いていた花が枯れてきても、元気なものを選んで最後の一輪までちゃんと大切に生けるように豹変した私。最後まであきらめずにしぶとく可能性を探す姿勢は、仕事にも応用できるなあ。コドモたちが学校帰りにつんでくる花も、小さなコップに生けてみるとエネルギーに満ちあふれている。

仕事が思うように進まなくてイライラしている時に、花に水をあげたり水を替えたりすると、ちょっと気持ちが楽になるのです。

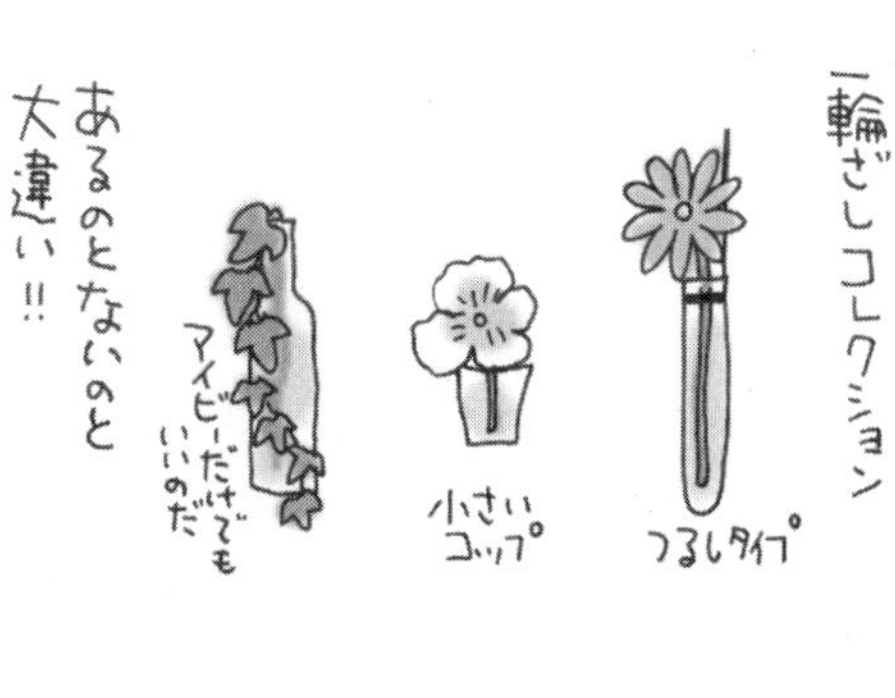
一輪ざしコレクション
つるしタイプ
小さいコップ
アイビーだけでもいいのだ
あるのとないのと大違い!!

21

おひさまとともに起きる。

夜中まで起きて仕事をしていると
あ゛あ゛あ゛ー つまらないものを描いてしまった～
ネガティブになる…
ところが朝早く起きておひさまを見ると
日の出!!
SUN
SUN
この仕事いけるかも!!
SUN
読む人も朝早く読めばいいーんだ
キラキラ

CHECK!

いつの頃からか、朝型になりました。

学生の頃は建築学科だったので、課題の設計図や模型を深夜ラジオ番組「オールナイトニッポン」を聞きながら、夜通し描いたり作ったりしてました。イラストの仕事についてからも、夜中に絵を描くことが多かったんです。完全夜型。低血圧、低体温、冷え性、肩こり、腰痛、便秘、水虫。不健康そのものだった私。

ところが2年くらい前から、夜がつらくてたまらない。試しに夜はとっとと寝て朝起きて仕事をしてみました。そしたら意外にいい！　朝のほうが集中できるし、カラダの具合も全然そっちのほうが調子がいいんです。

もうひとつ気がついたことは、朝早く起きて朝日を浴びると、ネガティブなことは考えないんですね。

私の秘かな楽しみ
朝5時のティータイム
こってり大福

朝日のパワーはスゴイ。前の日にイヤなことがあってへこんでいても、朝日を浴びると「何とかなりそう」って思えちゃうんです。「早起きは三文の徳」と昔からのコトバがあるけど、全くそのとおり。

朝、まだ夜が明けきらないうちにふとんから出て、コーヒーをたて、メールチェックしたり、ちょっと仕事をする。そうするとこのあと家族が起きてきて家事に突入しても、アイドリング状態なのでその後またすぐ仕事にささっと頭が戻れるのです。そして午前中で勝負に挑む！

会社勤めの人はゼヒ早めに出社して、人のいないオフィスで濃密な時間を体験してみてください。

一日が長くなる。

22

金魚なり、植物なり、身近に生き物を飼ってみる。

CHECK!

夏まつりでコドモたちが金魚をすくってきた
ふーん
あんまり興味がない
ある日
人影が見えるとエサをくれると思って集まってくる
ピチピチ
ピチ
うちの金魚たちってかわいいじゃん
ペットバカのできあがり
エサ
ピチピチ

自分のことでいっぱいいっぱいの時、まるで違うペースで生きているものが近くにいると、ぷしゅーっと自分の中の余分な空気が抜けたような気持ちになります。客観的になれるからかな。それにその生き物が育って大きくなっていくことは嬉しいし、エネルギーももらえる。ということで一時バルコニーでたくさんの鉢を並べ花やら葉っぱやらを育てていましたが、ハトが勝手に巣を作って卵を産んじゃったので、全部撤収しました。ハトは糞やら羽で、タイヘンなことになります。あいつらだけは、飼えません。

今は、コドモたちが去年の夏にお祭りですくってきた金魚がいます。かなりでかくなりました。立派なフナ。

私が今まで飼ったことがあるのは、セキセイインコ、ハムスター。今思えば彼らとは、あまり意思疎通ができませんでした。だからペットといっても、どうもピンとこない。

ところが最近金魚も意思表示することを知って、びっくり。確かに締め切り前のカリカリしている時に、水槽でゆらゆら〜っと泳いでる魚たちをながめると、無条件になごむのよね。

ああ、私もペットの醍醐味《だいごみ》がわかるようになってきたのか?

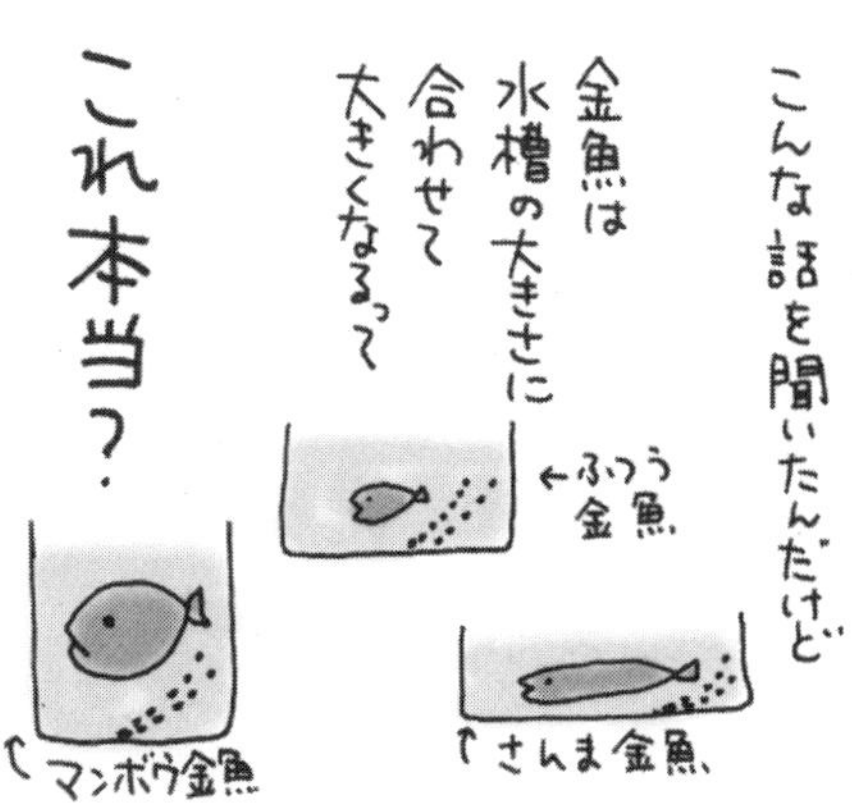
こんな話を聞いたんだけど
金魚は水槽の大きさに合わせて大きくなるって
これ本当?
←ふつう金魚
↑さんま金魚
↑マンボウ金魚

「みんなも生きている」と思うと、なんだか元気になる。

23

いつも車や電車で通り過ぎてしまう道を、歩いてみる。

CHECK! □ □

学生の頃、通学の車窓からいつも見ていた小さな教会
ガタン
ガタン
すごく気になったので1度もよりの駅で降りて見に行った
ふつうの教会…
翌日からそこを通るたびに
あそこ行ったよね〜
ちょっと嬉しい

山口に住んで8年になります。

ここでの移動は、ほぼ車です。バス、電車はかなり本数が少ないし、私が住んでいるところから電車の駅までは遠くて歩けない。地下鉄なんていうのも、ありません。

そしたら「歩く」ということが、極端に減ってしまいました。車社会の弊害！　徒歩5分の郵便局に行くにも、無意識に車のキー持っているし。まあ、要は、心がけ次第なんですが。

だから、たまに歩くといろんな発見があるんです。

いつも車で通り過ぎる道も、ゆっくり歩くと近所なのに初めて来た場所のような新発見の連続。看板、季節の花、犬、ネコの小動物。夜限定で、タヌキもいる。ちょっとした旅行気分。

昔から、本道からちょっと入った路地裏のような小道を歩くのが好きでした。家々から聞こえてくる話し声や食器を洗う音、テレビの音などを聞くのが好き。そこで私が全く知らない人たちが生活してると思うと、ほっとするような、それでいてわけもなく切ないような気持ちになるんです。

電車をいつも利用している人も、たまには一駅前で電車を降りて、ちょっとばかり歩いて帰ってはいかが？

ゆっくり歩くと、新発見の連続。

息子が小学校に入学したての頃、帰りに迎えに行って2人で迷子になった
いつもは車で行くもんで…
ちなみに家から小学校まで歩いて50分…
ここどこっ
かーちゃん何しに来たん!!

24

夜空を見上げる。

CHECK! □ □

心と肩のコリをほぐそう。

オトナになって、コドモの頃より明らかに空を見上げる回数が減りました。

日々、自分のまわりの出来事に精一杯だから、余裕がないのかな。都会にいると、星もあんまり見えないし。っていいながら、私がいるところは、都会じゃないけれど。

たまには、5分ほど夜空を見上げてみよう。

月並みだけど、あまりの空の大きさに、自分の抱えていることが小さく見えるんです。星の一生のスケールに比べて人間の一生はあまりにもあっという間。夜空を見るとそう思うから、改めて毎日を大切にがんばろうっていう気になるんです。

ちなみに空を見上げる頭の角度は、首や肩のコリをほぐすのにいいらしい、です。

空を見たら
地面も見よう
首のストレッチ

25 いつもより2センチ高いヒールの靴をはく。

CHECK! □ □

大人になったみたい!!
コドモの頃よく母親のパンプスをはいていた
コツ
コツ
コッコッ音がするヒールの靴は
大人の女性の象徴
いつもスニーカーではいてるジーンズも
ヒールのある靴だと
大人っぽい
って年齢的にはじゅうぶん
大人の女性なんだけどー

小さいコドモが「だっこ」とせがむのは甘えもあるんだけれども、大人にだっこされると、目線が高くなっていろんなものが見えるという密かなたくらみでもあります。

まあ、そこまで急に目線を高くしなくても、たったの2センチ高いヒールをはくだけでも、「へぇ」というくらい視界は変わります。私は身長164センチなのですが、2センチ高くなると166センチ。今まで話していた相手との視線の合い方の感じが、ちょっと違うもの。

自分のまわりの人に与える印象にも、変化が。「あれ、今日は何だか雰囲気が違う?」自分でもいつもよりちょっと遠くまで見えると、得した気分。

ところで女性はヒールの高さを自由に選べるけど、男性は2センチ高くするってどうするのかな? 「シークレットブーツ」?

いずれにせよ、いつもより高いヒールをはく時は、しっかり背筋を伸ばしてクールに歩きましょう。くれぐれもひざが曲がっておしりがぽこん、と出ないように。

たった2センチでも、視野が広がる。

26

タオル、シーツを変えてみる。

CHECK!

タオルがふかふかだと大人もコドモも
しあわせ〜
クタクタのシーツもまたしあわせ〜
こーこつ
そしてタオルを戦いの場に投げこむことは「降伏」の意味
某編集部ーー
タオル送らんで
原稿送れ〜っ

ふわふわのタオルやくたくたのシーツって、触っていると気持ちよくて無条件にやさしい気持ちになれます。仕事でせっぱつまってても、触ってると骨抜きになっちゃう。

コドモの頃はもちろん、大きな声では言えないけれど今でもくたくたのシーツを触りながら、眠ったりもします。日頃使う頻度が高くてお世話になっているだけに、こだわりたい代《しろ》物《もの》。特にタオルはインテリアのポイントにもなったりするので、色や柄も気にしたいです。頂き物の「○○工務店」の名入りのタオルは、薄すぎでちょっと頼りないので、他の機会に。

下ろしたてのタオルは、やっぱり気持ちがいい〜。一回水通ししてから使うと、吸水性アップ！シーツは新しくしゃきっとしたのもいいけど、使えば使うほどくたくたになったのも捨てがたいですね。

これらの強い味方は乾燥機です。タオルもシーツも乾燥機から出したてのものだと、あまりにほかほかふわふわで、それに囲まれているだけでオトナもコドモもオトコもオンナも、たまらなく幸せな気持ちになれます。

こだわってみましょう、タオルとシーツ。

カラダに触れるものをやさしくすると、気持ちもやさしくなれる。

どんなおしゃれをしても
首にタオル1本まいただけで
雰囲気が 変わる…
○○銀行

27 自分のまわりの「ニオイ」を変えてみる。

CHECK! □ □

「ニオイ」は感情に訴えかける
あ 隣のうち今日はカレーだ
くんくん
ぐう
必ず2、3日中にうちでもカレーを作る
街中で
あっ 昔の彼がつけてたコロンだ 20年近く前のことなのに
全くの別人
きゅん
リラックスする「ニオイ」
穴という穴が全て開きそう
元気になる「ニオイ」
やるぞっ
「ニオイ」を利用しよう
私の好きな「ニオイ」はしっぷ
ダンスや柔道でケガに悩まされていたので
この「ニオイ」をかぐと
ホッとするのだ

いい「ニオイ」は、ものすごく気分を変えてくれます。

私は毎朝儀式のように、お香をたきます。仕事がのらない時は、アロマオイルまでたいてみる。「ニオイ」によってやる気が出たり、リラックスしたり。お寺に入るとなんだか落ち着くのは、線香の香りのおかげ。

また「ニオイ」には気分を変える以外にも、いろんな効果があります。コーヒーが入る香り、パンの焼ける香り、しょうゆの香ばしい香りをかぐと、おなかがキューっと鳴る。天気や季節の変わり目を教えてくれる「ニオイ」もあります。ほんのり春のニオイがする二月の風、雨が降る前のむれた土のニオイ、干したふとんのおひさまのニオイ。

そして「ニオイ」は忘れていた記憶も、一瞬でよみがえらせます。小さい頃遊んだ野原の葉っぱのニオイ、給食室から漂ってくるだしのニオイ、自分が恋をしていた時につけてたコロン。「ニオイ」にはもれなくエピソードがついていて、どんなに時間がたっても当時の切ない気持ちがよみがえってきます。

今の自分はどんな「ニオイ」？

たまには「ニオイ」を変えるのもいいものです。コロンをつけたことがない人は、まずはアロマオイルでつくった香水でも、薄くつけてみましょう。

必ず「ニオイ」をかいでしまうもの
指から抜けたばんそうこう
すぽっ
足の親指の切ったツメ
「くさいとやっぱりー」と思って安心するのよね
くんくん

自分の「ニオイ」を持ってみよう。

28

一日10回、「ありがとう」と言う。

CHECK! □

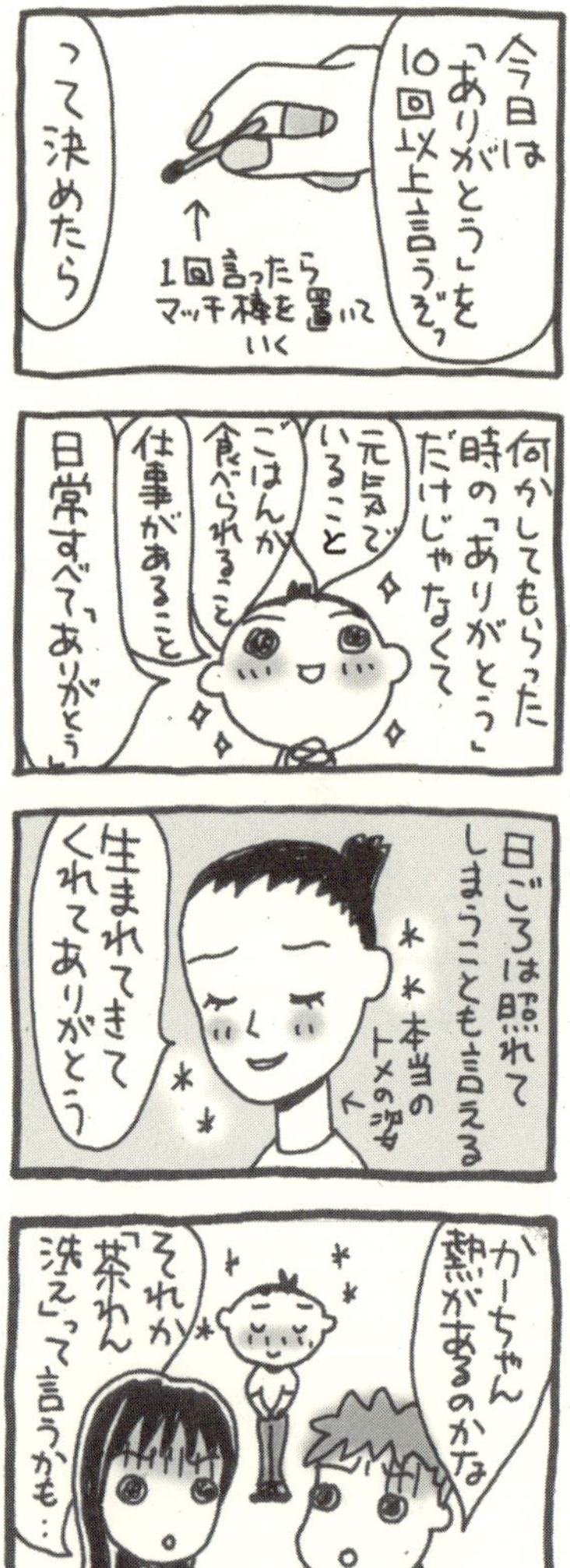
今日は「ありがとう」を10回以上言うぞっ
↑1回言ったらマッチ棒を置いていく
って決めたら
何かしてもらった時の「ありがとう」だけじゃなくて
元気でいること
ごはんが食べられること
仕事があること
日常すべてにありがとう
日ごろは照れてしまうことも言える
本当のトメの姿
生まれてきてくれてありがとう
かーちゃん熱があるのかな
それか「茶わん洗え」って言うかも…

今、こうして元気に毎日を当たり前のように送っているけれど、よくよく考えるといろんな人たちのおかげなんです。

両親に、産んでくれて、「ありがとう」

家族に、いつも応援してくれて、「ありがとう」

仕事を依頼してくれる方々に、「ありがとう」
食べ物を育ててくれる土と太陽に、「ありがとう」
元気な体に、「ありがとう」
ダンスや柔道を教えてくれる先生に、「ありがとう」
今までたくさん影響を与えてくれた方々に、「ありがとう」
郷土と自分の住む街に、「ありがとう」
この本を書く機会を与えてくれて、「ありがとう」

9回ほど、「ありがとう」を言ってみました。回数を数えると、ささいなことにも、感謝の気持ちを持つことができるんですよね。

自分がいっぱいいっぱいで余裕がない時こそ、このコトバを言ってみましょう。家族や身近な人には、ちょっと照れくさいコトバだけど、あえて口に出す!

そして、

この本をここまで読んでくれて、「ありがとう」

いつもなごませてくれて
ありがとう
相手が"人"じゃなくてもこういうのも回数に入るの？
ありがと

言えば言うほど心が温まる呪文。

29

満月にウサギを探す。

誰が言ったのか、月の模様は「ウサギがもちをついている」ように見えるって。

しかし、それを実際自分の目で確認したことがある人が、どのくらいいるんでしょうか？

では、満月の日に、見てみます。

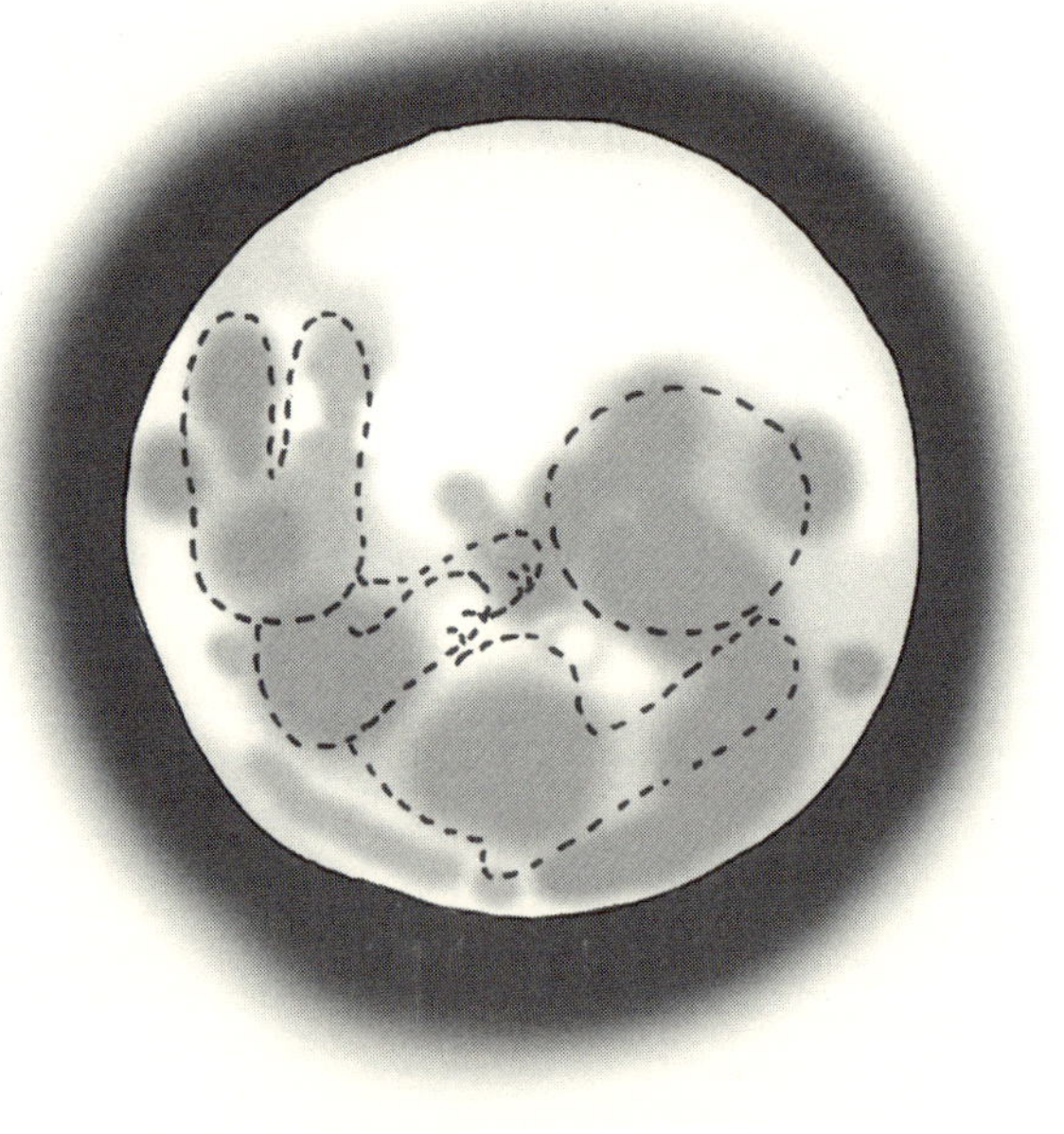

CHECK! □ □

私には、ウサギがもちをまるめているようにしか、見えないですねえ。

　脳というのはものすごく頑固で、「一回分類をしてしまうと、それ以外の尺度では分類できなくなってしまう」（朝日出版社『海馬／脳は疲れない』池谷裕二・糸井重里　著）らしい。

　ということは、このページを読んだ人は、これから満月の模様はどう見ても「ウサギがもちをまるめている」にしか見えないってこと？

　新しい通説になるかも。

「知っている」で片付けないで、自分の目で確認しよう。

30

「遅い」「今さら」「どうせ」は禁句にする。

CHECK! □ □

「今さら」「遅い」わよー
「どうせ」間に合わないし
それじゃあできることが少なくなっちゃう
不可能
できそうなのはここだけ?
不可能
ザ
へ今さら
どうせ
遅い
「まだ間に合う」
「今がチャンス」
「やってみなけりゃわからない」
に変えるのだ

15の「口癖を変えてみる。」でも言ったように、ある出来事をどうとらえるかは、自分次第なんですよね。

例えば何かをがんばる時、自分が今いる環境をがんばる理由にするのか、できない言い訳にするのか?

「コドモが小さいから」
「この歳《とし》だから」
「パートナーが反対するから」
「お金も時間もないから」
「今まで、何かをやりとげたことがないから」

だから「がんばる」？　「できない」？
決めるのは、自分自身。
せっかくだから、与えられた環境をがんばる理由にしてみましょうよ。

えっ!? 柔道でオリンピック目指す? それはさすがに……
師範
34歳で柔道を始める。一応初段

「まだ間に合う」「今がチャンス」「やってみなけりゃわからない」に変えよう。

31

絵を好きに描いてみる。

CHECK! □ □

イラストの仕事をしている、と言うと、
「上手に絵が描けていいですね～。絵はどうもうまく描けないんです」と、よく言われます。「絵が苦手なんです」と、自分で宣言しちゃう人が、多いこと、多いこと。

でも、そんなことない！

基本的に絵はみんな好きで、描けるはず。なぜなら誰でも小さい頃は、お絵描きに夢中だったでしょ？

それなのにいつの間にか「絵は、本物に似せて描かないといけない」という既成概念に縛られてしまって、そっくりに描けない人は、「絵がヘタクソ」という烙印を押されてしまったように思い込んでいるんです。

そんなことはすっかり忘れて、紙を用意して鉛筆でもクレヨンでも持って、何でも描いてみましょう。目に飛び込んでくるもの、頭に浮かんだもの、どんな形でもどんな色でも、コドモになった気持ちで。誰の目も気にせずにね。

うまく描かないでいい、と思うとワクワク描ける。

知り合いの女性の似顔絵を描く時は2割増でキレイに描く!!
世渡りジョーズ
サラサラ

32

ブルーな時は、歌を口ずさむ。

CHECK! □

私はとっても歌が苦手です。

歌に関してはもう何があっても降参、自分で否定的に宣言しちゃいます。って31での立場が逆転、えらく矛盾してるんですが。小学校の時は歌のテストがあるとお腹《なか》痛くなったし、今までの人生でカラオケに行った回数も、片手で数えきれるほど。

でも、人前でなければ歌は好きなんです。車の中では好きなCDかけながら、トメのワンマンショー!「絵をうまく描かないでいい、と思うとワクワクする」と一緒で、うまく歌わないでいい、と思うと楽しいんですよね。

歌ってものすごいエネルギーがある。歌うとなんだか力がわくし、元気になります。だから応援歌っていうものがあるんだ。阪神ファンじゃない私も「六甲おろし」を一緒に歌うと、「GOGOタイガース!」って感じになるし、「いざゆけ若鷹軍団」を歌うと「行け行けホークス!」ってなります。

「絵を描く」「踊る」「歌う」は人間のDNAの中に「絶対的に楽しいもの」として、プログラミングされているんですよ、きっと。

うまい、ヘタは別にしてね。

自分のために、歌おう。

ずぴ
♪ドナドナドーナードーナー 荷馬車がゆ〜れ〜る〜♪
しまった!! 選曲を間違えた〜

33

ラッキーなことを、数える。

CHECK! □ □

パカッ!!
わぁっ黄身が2つだ
ラッキー
たまたまつけたテレビが面白かったり
いつもほえられる犬にほえられなかったり
ゲラゲラ
今日は許しちゃう
心の中でいちいち叫ぼう
よっしゃーラッキー!!
数えだすとラッキーの数はどんどん増えるのだ
今日はラッキーが7つだった
昨日より多いな…
ラッキー

夕方、近所のコンビニの前を通った瞬間に、ぱっと看板に電気がつきました。

思わず「ラッキー！」

一日に1回必ず起こっていることだけど、なかなかその瞬間を見ることってないですよね。かといってずーっとそこにへばりついて待とう、とまでは思わないし。だからすごく「ラッキー」です。

こんなちっちゃなラッキーってたくさんあります。信号にひっかからないで目的地まで行けた、傘を持っていくの忘れたけど雨は降らなかった、友達から食べたかったお菓子をもらった、いつものスーパーに行ったら特売だった。急に人生が変わるってほどじゃあないけれど。

そんな「ラッキー」を数えてみましょう。めんどうくさかったら「ラッキー」なことがあったらそのたび「よっしゃあ!」と叫んでみましょう。まわりに聞こえて恥ずかしかったら、心の中でこっそり言ってみる。

「ラッキー」なことを、気にすることが大切なんです。昨日より今日が、今日より明日が「ラッキー」の数が増えたら嬉しいし、今日「ラッキー」と思わなかったことも、明日は「ラッキー」と思えるかもしれない。

お気楽「ラッキー」を増やして、ホントに大きい「ラッキー」を呼び込んじゃいましょう。

ちょっとしたことでも、嬉しくなる。

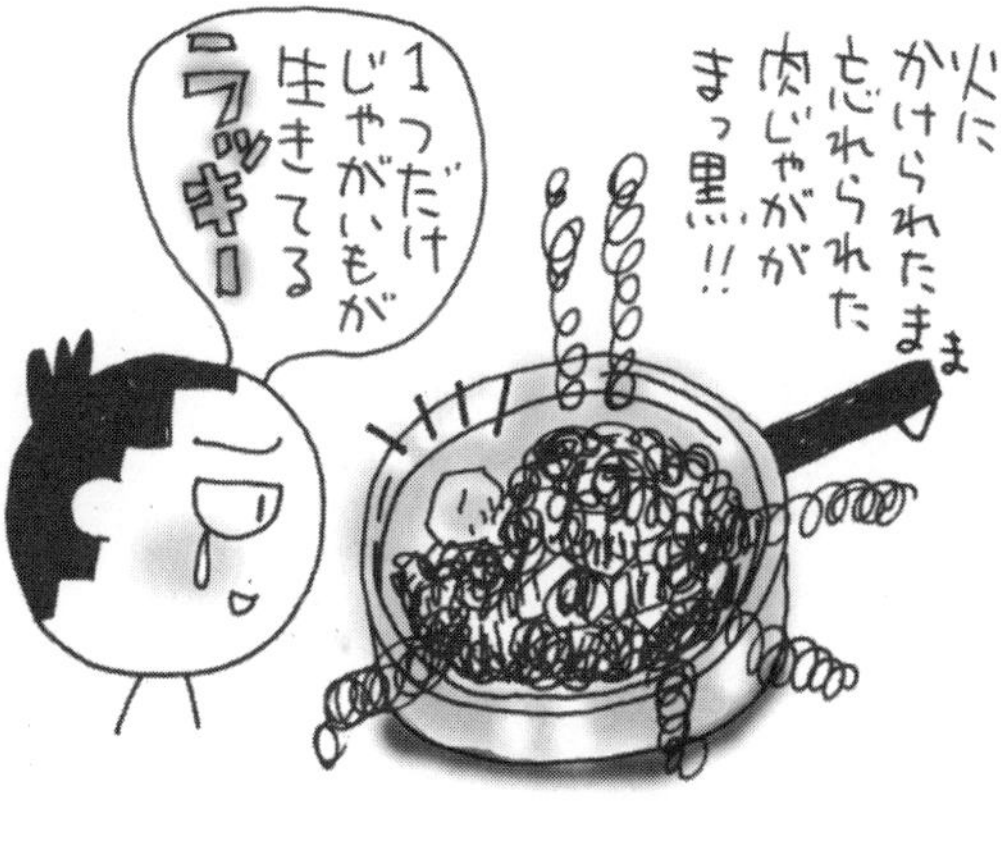
火にかけられたまま忘れられた肉じゃががまっ黒!!
1つだけじゃがいもが生きてる
ラッキー

カラダから、外見から、変えてみる！

34

鏡の前で5分間笑う。

CHECK! □ □

最初の1分は自分の顔をまじまじと見てチェック
ココ
しわがこんなところにも…
でも笑う
2分経過
え〜まだあと3分もある…
3分経過
ヒク
ヒクヒク
ひきつる〜〜筋肉痛になりそう…
やがて…
何やってんだろ〜バカだな私って〜
ホントに腹の底から笑えるのだ〜
ヒク
ヒク
ヒク

幼稚園から変わってないと思っていたこの顔も、よく見れば目じりはしわしわ、たるたる、よれよれ。おでこにも、さるじわが！

怒った時と笑った時を比べると、顔によるしわの数はだんぜん笑った時のほうが少ないそうです。

笑顔に勝る化粧はない。

うちにいる現役の小学生の顔にはしわもなくつるつる、そして奴らはホントによく笑う。はしが転げてもケラケラ、犬が歩いてもゲラゲラ。それを見ているとオトナの自分は、明らかに笑う回数において圧倒的に負けているんです。

だったらカラ元気でも、笑っちゃおう!

特に夜寝る前はプラスなことをイメージして眠ると、いいらしい。昼間にどんないやなことがあった日でも、最後にふとんに入る前には自分の笑った顔を見よう。しわしわ、たるたる、よれよれの顔も、ほほえんだら「まだまだいけるじゃん」ていう気になるのです。

へっへっへっ
夜 ひとりでやってる図は
かなりコワイ…

35

姿勢をよくする。

CHECK! □ □

姿勢がいいと
どこにいても
どんな服を着てても
かっこいい
だら〜ん
シャキーン
姿勢のいいキリン
シャキーン
もぐもぐ
姿勢のいいネコ
いつもと違う
ピシッ
姿勢のいいタコ
シャキーン
あんまり食べたくない
固そうだもん……

実際にお見せできないのがザンネンですが、私は姿勢がいいんです。へへっ、自慢してます。ところが以前はまるで逆。小さい頃からいつも背中を丸めていて、よく母親に洋裁用の1メートルのものさしを背中に突っ込まれていました。オトナになって姿勢がよくなりたいとは思っていたけど、半ばあきらめていたところ、32歳の時に、トータルフィットネスコーディネーターの中尾和子さんにエアロビクスのレッスンを受ける機会があり、「背中を意識すると、姿勢がよくなる」と教えて頂いたのです。これをぶつぶつと呪文のように唱えながら意識しだしたら、あら不思議、まわりの人に「姿勢がいいね」と言われるようになったのです。

そうなったらこっちのもん。結果がちょっとでも見えだすと、どこまでも調子にのる私。去年ポスチャースタイリストのKIMIKOさんに出会って、姿勢はさらにウツクシク進化しています。腹筋、背筋もついて、気になる腹まわりの脂肪製ウエストポーチ、サイドポーチにもさらばっ！

今まで下を見てとぼとぼ歩いていたのが、姿勢がよくなると前を向いてシャッシャッと歩けるようになる。前を向いて歩いていると、必然的に考えも前向きになるんです。姿勢がいいと、見た感じもなんだか自信に満ちていて、かっこいいしね。

姿勢の良さは、七難隠す。

姿勢がいいと、目標が見えてくる。

美しい歩き方
いい姿勢は一生もん!!

36

キレイな水を、一日2リットル飲む。

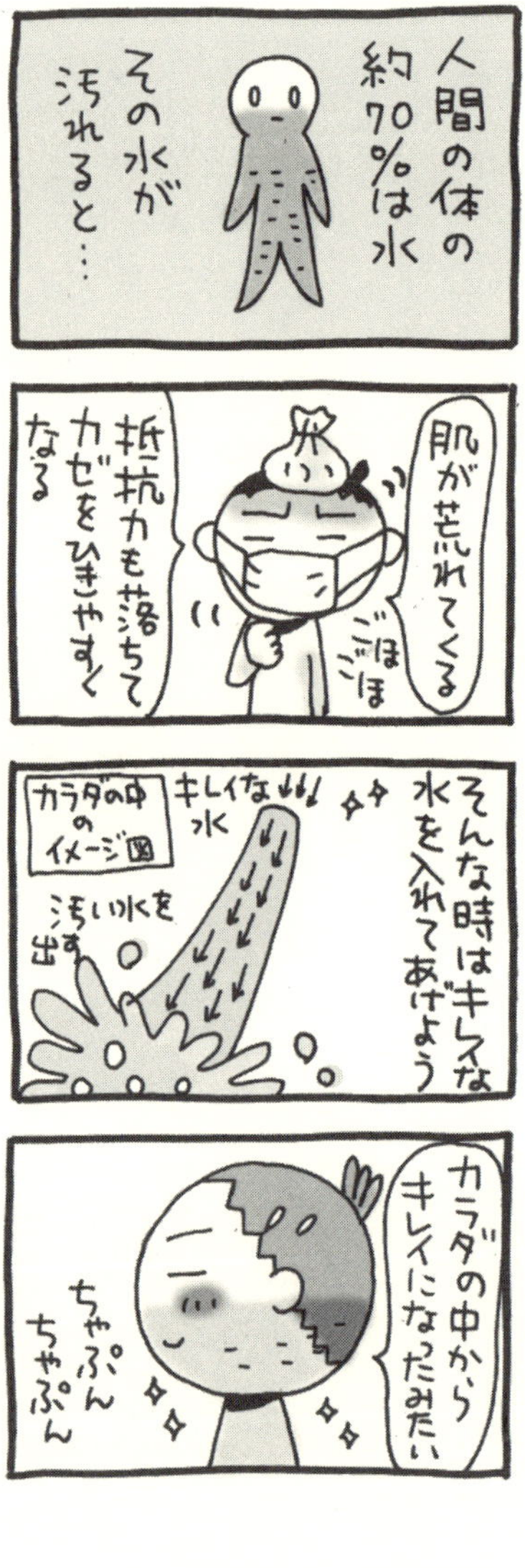
人間の体の
約70%は水
その水が
汚れると…
肌が荒れてくる
ごほごほ
抵抗力も落ちて
カゼをひきやすく
なる
そんな時はキレイな
水を入れてあげよう
キレイな水
カラダの中のイメージ図
汚い水を出す
カラダの中から
キレイになったみたい
ちゃぷん
ちゃぷん

CHECK! □

人間の体の約70%は水分です。

だから、その水の部分をキレイな水に変えたら、カラダのトラブルは解消されやすいと聞いた私は、水を一日2リットルを目標にがぶがぶ浴びるように飲んでいます。そしたら便秘はしないし、ちょっとしたことでトラブルにつながりやすい私の肌も、かなり抵抗力がついてきました。カラダの隅々まで水がいきわたって、細胞が「ぷるるん」、としてる感じ。想像ですけど。

お茶やコーヒーじゃなくて、「水」を飲むんです。何故なら「みずみずしい肌」とは言うけれども「おちゃおちゃしい肌」とは言わないですよね。

体調が落ちてきた時や、カゼをひいた時も、水をどんどん飲むと悪いものがどんどん外に出ていくからか、回復が早いです。集中力が落ちてきた時も、とにかく、水、水、水。

05の「水の流れる場所を、キレイにする。」と同じで、カラダも水の流れるところなんですね。水をためないようにキレイな水をどんどん飲んで、体の中を循環させてあげましょう。

カラダの中から、掃除ができる。

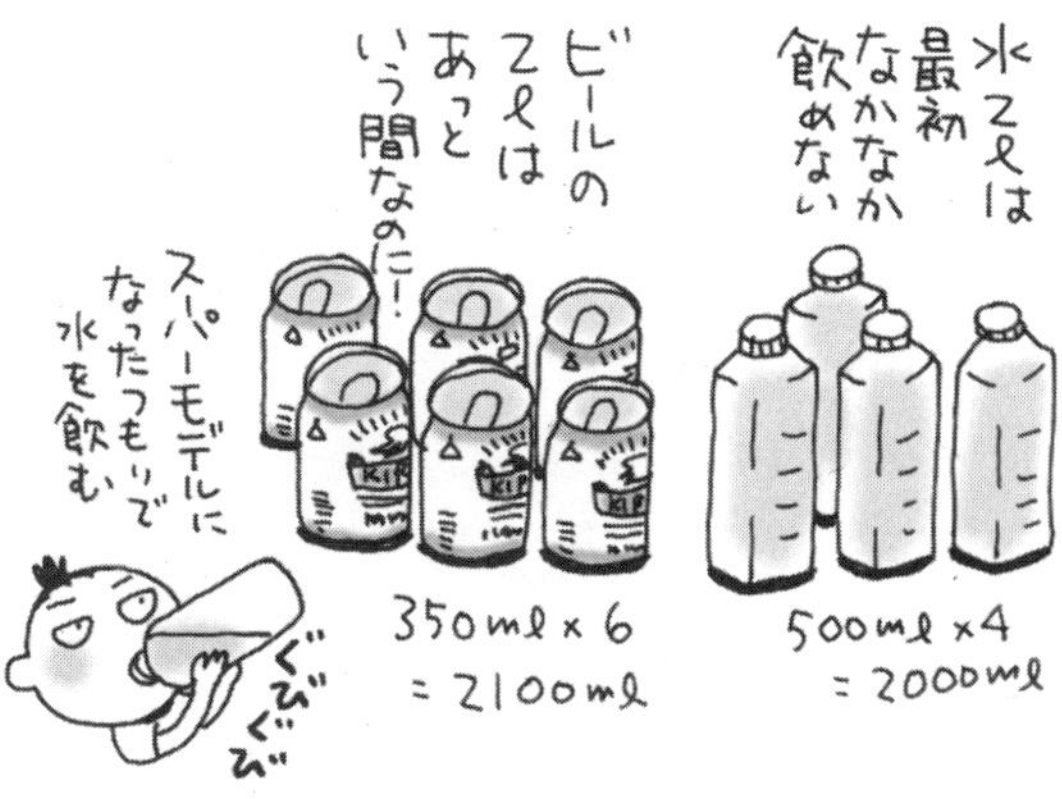
水2lは最初なかなか飲めない
ビールの2lはあっという間なのに!
スーパーモデルになったつもりで水を飲む
ぐびぐびぐび
350ml×6
=2100ml
500ml×4
=2000ml

37

ファーストフードは卒業する。

CHECK! □ □

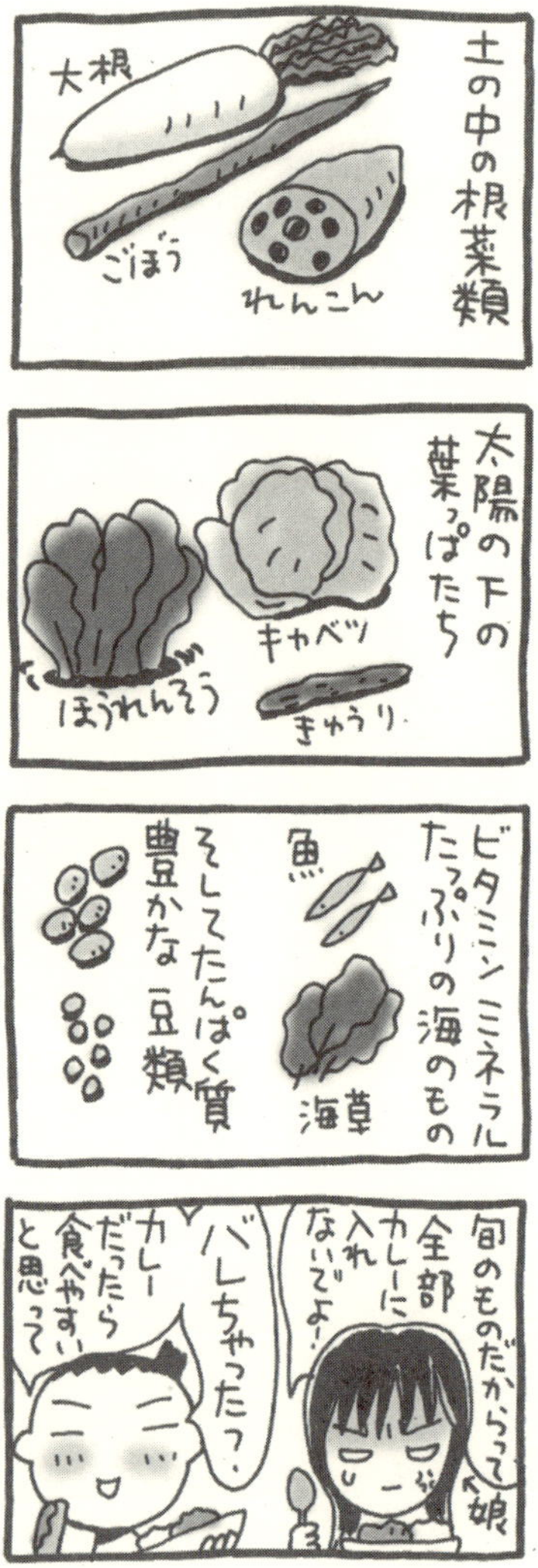
土の中の根菜類
大根
ごぼう
れんこん
太陽の下の葉っぱたち
キャベツ
ほうれんそう
きゅうり
ビタミンミネラルたっぷりの海のもの
魚
海草
そしてたんぱく質豊かな豆類
旬のものだからって全部カレーに入れないでよ!
娘
バレちゃったっ
カレーだったら食べやすいと思って

10代20代の頃は一晩中友達としゃべりながら、バリバリガシガシ、スナック菓子を食べていてもへっちゃら、翌日に胸やけなどしませんでした。CMでファーストフードの新しい製品が出たことを知ると、必ず食べに行ってたお得意さん。

でも、いつの頃からか、だんだんカラダが「あんまり欲しくないや」という感じになってきたんです。受け付けなくなってきたんですね。油や添加物、味の濃さが気になり、胸やけはするわ、肌にも吹き出物ができるわ、拒否反応。

逆に旬の魚や野菜を食べると、ほっとする。以前はそんなに感じなかったのに、最近は特に旬の食材の生きるエネルギーをものすごく感じるんです。

歳を重ねるとこうなるの？　いや、人間の本来の姿に戻っている、と思っています。

カラダのためにはあんまり…
だけど
わたがし
りんごあめ
酢イカ
大玉
ゲソ
アイスキャンディ
こういうものは
いつまでも
あって欲しいな

旬の食べ物から、エネルギーをもらおう。

38

仕事の合間にのびをする。

CHECK! □

仕事でも家事でも育児でも、同じ姿勢を長時間続けていると、カラダがガチガチと悲鳴を上げだします。

筋肉が硬くなって血のめぐりが悪くなるんですよね。ほうっておくと、ひどいコリになって気分が悪くなったり、そのまま激しい運動をするとケガをするので、今のうちにちょっと

心ものびをしよう。

作業の手を止めてのびをしましょう。

ポイントは「力を入れる」「力を抜く」を交互にすること。

「ん～～～～～～～～～～～～～～～～～っ」

あ、息を止めないでね。吸ったり吐いたり、呼吸をしながらやりましょう。

のびをするだけでかなりカラダがほぐれるので、引き続きカンタンなストレッチもやってみてください。

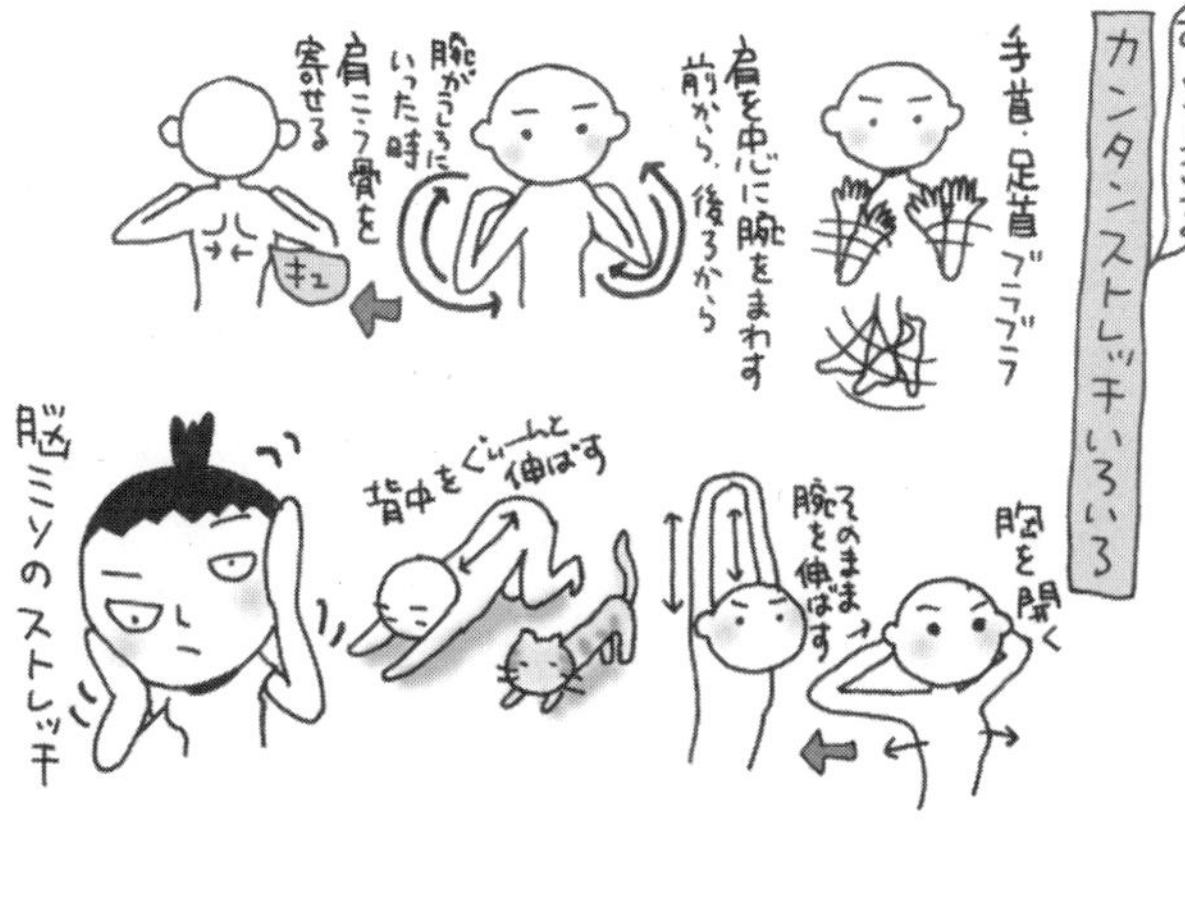
すぐできる
カンタンストレッチいろいろ
手首・足首ブラブラ
肩を中心に腕をまわす
前から、後ろから
腕がうしろにいった時に肩こう骨を寄せる
キュ
胸を開く
そのまま腕を伸ばす
背中をぐぃーんと伸ばす
脳ミソのストレッチ

39

お菓子を食べない一日を作る。

CHECK! □ □

何気なくお菓子を口に入れてない？
せっかくお茶を入れたからようかんの残りを食べちゃおーっと
そういう人に限って
ギャー体重が増えてるぅ〜
そんなに食べてないのに〜
今日は1日ごはん以外お菓子を食べないぞ！
とりあえずコーヒーを飲もう
はっ
この手は何？！無意識のうちについ！！
食生活を見直すことができる
クッキー

私はよく「自分のごほうび」用にお菓子を用意します。

仕事が「ここまでできたら食べよう！」と決めてがんばるんです。いわゆる「馬にニンジン、鹿にせんべい」状態。そして達成したらごほうびを食べる。ちなみに私の好きなニンジンは、和菓子とコーヒーです。

と、こういうのはいいのですが、問題なのは特別食べたいわけじゃないのになんとなく食べちゃうお菓子! なんか口さびしいからと目についたあめやせんべいを口に放り込んだり、テレビのスイッチをつけるなりお菓子の袋を開けたり。「ダイエットしたいけど、なかなかね〜!」という人に限って無意識によく食べています。

私の場合、ダイエットというよりは、甘いものや油っこいものを食べると肌が荒れるので、時々「お菓子を一切食べない日」を作っています。三度の食事のみ。その食事も野菜中心で油を極力抑えたヘルシーなものに。口がさびしくなったら、ひたすらがぶがぶ水を飲む。無駄なものを食べないと、水も軽々2リットルはいける。そして一日たつと肌の調子もよくなるし、体も軽い。なんといってもアタマがさえてくるんです。

ずーっとじゃ「ゼッタイムリ!」って思うけれども、一日限定だったら何とか耐えられます。自分がいかに日頃ムダ食いしているか見直せるし、ちょっとしたカラダの大掃除ですね。

ところで
バナナはお菓子に入るの?
うーん
永遠のギモン

ムダ食いは、やめる。

40

全身を鏡に映す。

CHECK! □ □

7年前にエアロビクスを始めたとき鏡の中の私
ガリガリ
似合わない〜
正視できない〜
その後いつも鏡を意識してトレーニングをしてたら
チューブひっぱり
ぬお〜
ワンツー
腹筋
ばーん
筋肉それなり
腹も割れた
気になる所は隠さないで出したほうが効果があるのだ
めざせメリハリボディ♡
ウエストキュッ
筋肉がついても幼児体型

コドモの頃、習字の時間によくやってしまった失敗。

一字一字を書くのに必死なあまり半紙に入りきらなくって、最後は異様にちっちゃい字になってしまうんです。出来上がりは、なんともバランスの悪い字。

全身も同じことが言えますよね。首から上はメイクをしてて完璧なんだけど、全身を見るとなんだか変、ってことがよくあります。

全身を鏡に映して常にチェックすることは、とっても重要です。服を着てれば全体の雰囲気、服を脱げば自分のカラダの現状がわかります。

私はダンスとエアロビクスをしているので、全身を鏡に映す機会は多いです。それも体の線がよくわかるフィットネスウエアを着ているから、現在の自分の体のパーツもバランスも一目瞭然。それがたとえ気に入らなくても、現実を目の前に突きつけられているんです。

鏡で全身を見る習慣があると、ちょっと食べ過ぎたり、運動さぼっちゃって余分な肉がつき始めても、早期発見早期治療、すぐ手を打つことができます。

全身が映る鏡を持ってない人は、ゼヒ一枚準備して、まずは現実を受け入れましょう。

うーん
バランス悪すぎて見るからに弱そう…
だぶっ

世界でたったひとつのカラダを、好きになろう。

41

アイメイクはちゃんとする。

目は口ほどにものを言う
さっぱり
アイメイクを活用しない手はないのでは
同じ絵でもいい額縁に入れたほうがはえる
目も同じこと
雑誌など見て研究して
TVでも結構やってる
ワンポイントメイク
マスカラ
アイメイク特集
目を大きく!
目力《めぢから》アップだ!!
シャキーン

CHECK! □

初めて会う人でも、親しい人でも、顔を合わせたときに一番最初に見るのは、圧倒的に目ではないでしょうか。

「目は心の窓」って言いますよね。目は自分の内面が表に出る場所でもあります。だからか、目を使った表現も多いです。

「目は口ほどにものをいう」「目からうろこが落ちる」「目から鼻にぬける」「目が据わる」「目が血走る」

すごく目が大きくてまつげがばさっばさっと長い人でも、人間の中身がからっぽだったら死んだ目になるし、逆に何か目標を持っていてチャレンジしている人の目は、たとえ小さくてもキラッキラッと光り輝いています。

せっかくだから、目をキレイに印象的に見せましょう。

自分の中身を充実させるのはもちろん、さらにそれを引き立ててあげられるように、アイメイクを心がける。まゆを整え、アイライン、アイカラー、マスカラなど。

やり過ぎず、自分が一番ナチュラルにキレイに見えるように研究です。

ノーメイクでもアイブローとマスカラで、目を生かそう。

目は心の窓
どんどん主張しよう
わけて
ちょーだい
ぐぅー

42

食べる時に、30回かむ。

たまにはゆっくり食べよう
あーん
このニンジンも30回かんでみよー
ニンジン畑
すごい雨と風
流される
ゴォー
がんばれっ
みんなっ
んっ
オレ先に行く
みんな元気でっおいしくなれよー
ズボッ
オレたちもつづくよ
もぐもぐ
そーだったのかニンジンありがとう
30回かんだら感謝の気持ちがわいた

CHECK!

コドモの頃、「食べる時は30回かんで」ってよく言われました。何故？　理由がちゃんとあります。

以下、栄養学の本より。かむとまずあごが発達し、歯の健康維持、味覚も発達する。肥満防止にもなるし、胃腸にもやさしい。コトバの発達を助け、脳の働きもよくする。ほかにも効用多数あり。

でも最近コドモたちがよく食べるのは、やわらかいものが多いです。ちょっとかんだらすぐ飲み込んでしまえるものばかり。その代表的な食べ物が「おかあさんはやすめ」。

〝お〟ムレツ、〝か〟レーライス、〝さん〟ドイッチ、〝は〟ンバーグ、〝や〟キソバ、〝す〟パゲッティー、〝め〟だまやき。

その反対に、かむ力をつける食べ物は、「まごにやさしい」。

〝ま〟め、〝ご〟ま、〝や〟さい、〝さ〟かな、〝し〟いたけ（きのこ類）、〝い〟も。昔から日本人が食べてきたものばかり。「おかあさんはやすめ」のメニューを見て「ああ、耳がイタイ」と思った人は、「まごにやさしい」食品をメニューに混ぜちゃいましょう。

たまにはよーくよーくかんで、食べ物と作ってくれた人に感謝しましょう。

豆腐は30回かむと
別物になった

味わいながら、食べ物に感謝しよう。

43

髪の分け目を変えてみる。

CHECK! □

いつも同じ分け目にしていたら
髪がうすくなってきた
白髪も目立つし
分け目を変えてみよう
今まで
さかさま
センター
イメージが変わる
前髪をおろしてる場合は
出してみたり
すっきり
プシュー
こんな遊びはどんどんしよう

髪型が気分に及ぼす影響はかなり大きいです。

髪型が決まった日は無条件に「今日はなんかいいことありそう！」気分だけど、決まらない日は「いやいや、今日は誰も私を見ないで」って、えらいネガティブ気分になるんです。

だから「髪の分け目」を変えると雰囲気も変わるけど、気分もかなり変わるんですね。それもクシ一本でささっとできるので、時間もお金もかからない、超お手軽イメージチェンジ。

それにずーっと同じ分け目だと、そこだけなんだか髪が薄くなってくるんです。経験した人も、多いはず。そしてそこから白髪もちらほら目立ってくる。私の場合ですが。

最初は分け目を変えてもすぐもとの分け目にもどってしまうけれど、そのうち新しい分け目に慣れてきます。まるで今まで毎日通っていた草原の道は草が生えてないけど、新しい道に変えてその道を通らなくなったら、そこには再び草が生えてくるっていう感じ。

慣れるまではめんどうくさいのですが、でもあきらめずにそこを乗り切れば、新しい分け目に落ち着きます。

何かの習慣を変えるのと、一緒ですね。

マイナーチェンジは、どんどんしよう。

ボクも分け目を変えてみよーかなー

44

「ラジオ体操」をする。

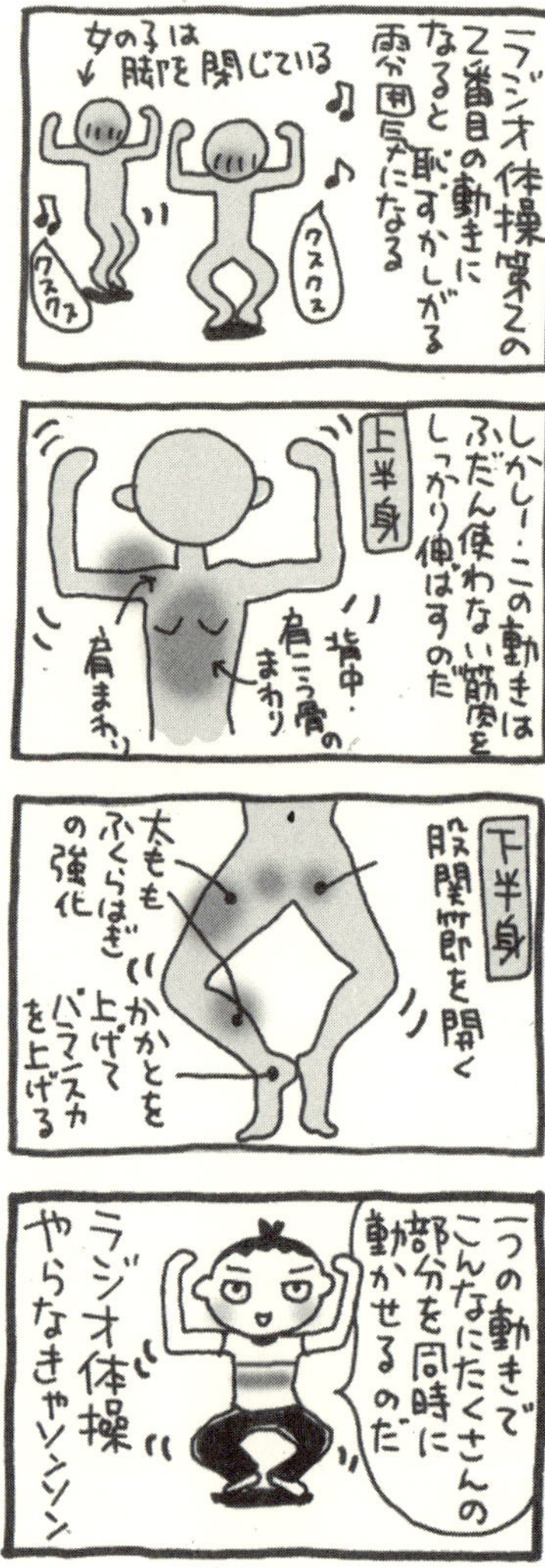

ラジオ体操第2の2番目の動きになると恥ずかしがる雰囲気になる
女の子は脚を閉じている
クスクス
クスクス
しかし・・この動きはふだん使わない筋肉をしっかり伸ばすのだ
上半身
背中・肩こう骨のまわり
肩まわり
下半身
股関節を開く
太もも ふくらはぎの強化
かかとを上げてバランス力を上げる
一つの動きでこんなにたくさんの部分を同時に動かせるのだ
ラジオ体操やらなきゃソンソン

CHECK! □ □

何を隠そう「ラジオ体操」愛好者の私です。ラジオといっても実は朝6時30分からの「テレビ体操」です。「適度な運動」は絶対必要って思ってる人は多くても、仕事、育児に忙しいからと実行して続けている人は少ないですよね。そんな方々に、特にお勧め！

とにかく敷居が低い。今日からすぐ始められる、何の手続きもレッスン代もいらない、ウエアも新しくそろえなくていい。私はいつもパジャマ。ケガをすることもない。新しい難しいフリを覚えることはない。だって日本人のDNAに入っているのかと思うくらい、曲がかかれば勝手にカラダが動きだすから。

でもなんとなく小学校の夏休みや、職場で朝礼のあとに「やらされた」など、ちょっとネガティブなイメージを持っている人も少なくないですよね?

しかし! 侮っちゃあいけない! ラジオ体操。

ラジオ体操はものすごく考えられた究極のストレッチなのです。第一と第二のフリって実は逆になっているんです。それを聞いた時、感動のあまり「ラジオ体操、バンザーイ!」と叫びました。

やり続けてわかったことは、やった日のほうが明らかにその日一日カラダが軽いんです。忙しい朝だけど10分寝るんだったら、その分寝ぼけてでもラジオ体操したほうがシャキッとしますよ。

おねえさんたちはあくまで露出をおさえたレオタード
こんなレオタードどこで買うんだろう…
デザインは地味だけど柄が異様にハデ!!
ハイレグ未満
半そで
気になっちゃって体操どころではない
Tシャツ/短パンでもいいような…

朝、カラダを動かすことは、究極のカンフル剤。

コミュニケーションから、変えてみる！

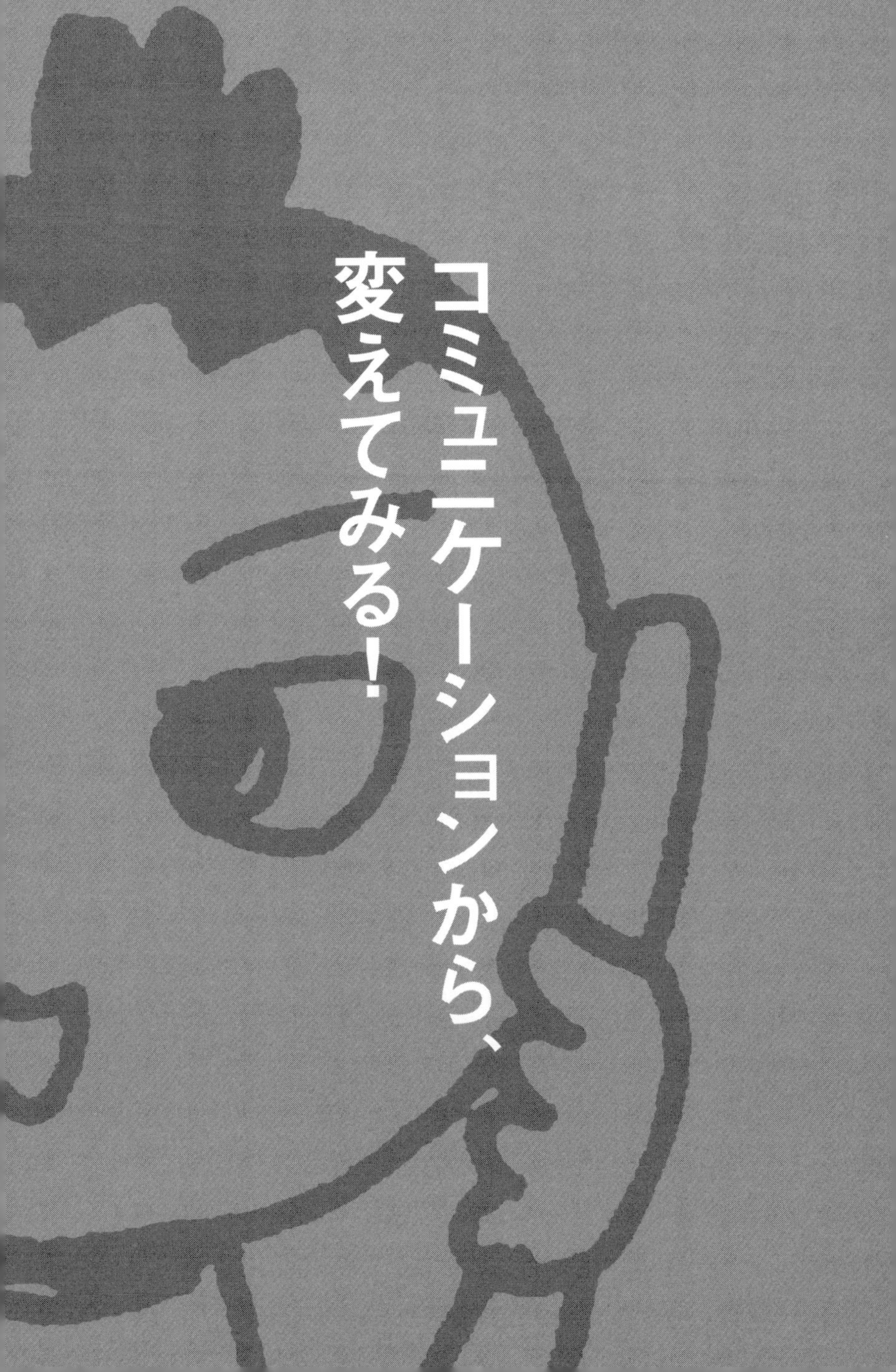

45

「スミマセン」で片付けない。

CHECK! □ □

「スミマセン」とは「事態が落ち着かない、自分の気持ちが済まない意味」と辞書には書いてあります。

あいまいな意味なんだけれどもいろんな場面でなんとなく通用してしまうから、ついつい乱用してしまいがち。

具体的な表現で、気持ちを伝えよう。

でも何か気持ちがこもってないですよね。「スイマセン」などになったら、ますますウツクシクナイ。ちゃんとコトバを分けましょう。

「感謝」の場面、例えば何かを頂いたり、してもらった時は、「ありがとう」。「謝る」場面、例えばぶつかったり、自分がミスした時は「ごめんなさい。申し訳ありません」。

これらのコトバのほうが気持ちが明確に伝わるし、その分その場の雰囲気をやんわり変える力を持っているんです。

類似語で「どうも」もあいまい
どうも（こんにちは）
どうも（ありがとうございます）
どうも（失礼します）
どうも（申し訳ありません）
どうも（よろしくお願いします）

46

電話口に相手が出たら、「今、大丈夫?」と必ず聞く。

CHECK! □ □

もしもしA子? 聞いて聞いて 今日見た映画 A子の好きなオーランド・ブルームが出てたんだよ!!
ベラベラ
ベラ
ごめんね～ 今、取りこみ中 また聞かせて
プツッ
ツーツーツ
自分1人で勝手に盛り上がった嫌悪感と脱力感……
話し始める前に
「今、大丈夫?」
と必ず聞こう
相手の答え次第で
大丈夫だよ ← ふつうに話す
ちょっとならOK ← 要点だけ話す
今とりこんでるの～ ← いい時間を聞いてかけ直す

時々居留守を使って、電話に出ないことがあります。

とくに昼間の電話は、取るなり一方的に話してくるセールスが多いから。仕事に集中している時は、電話が鳴っていても失礼承知でつい無視しちゃいます。急ぎの時はケイタイにかかってくるし。

電話は突然の乱入者。

自分も電話があまり好きではないので、かけるのにはもっと勇気がいります。でもそんなことを言ってたら、本当に重要な用事があっても受話器を取れないので、魔法の呪文、

「今、大丈夫？」

と必ず聞くことにしました。特にケイタイなんて、相手がどこでどんな状況かわからないし。親しくても、そうでない人も、仕事の電話でも必ず聞く。そしたら効果は大！「今、大丈夫なのかなあ、はやく切らなきゃなあ」とそわそわして、話をすることがなくなりました。その点メールは気軽なんだけど、緊急の連絡を相手が見てないことがあるし、気持ちがいき違っちゃうこともあります。

こみいった話は、電話で会う約束をして直接会って話すのが一番。

相手が聞ける状態に、合わせよう。

基本的に電話は相手の顔が見えないのでちょっと苦手…
出る出るな出るな出る
ドキドキドキ

47 いいところを見つけて、ほめる。

CHECK!

小さい時はほめられることが多かったのにー
まぁたっちができたのー スゴイ、スゴイ!!
歳をとるごとにほめられることは少なくなりー
この資料間違ってるよ やり直し!!
でもほめられるとやっぱり嬉しい!!
まぁートメさん絵がお上手
それほどでもー
どんどんほめよう
よっ日本一!!
大統領!
なんかかえってバカにされているような
夫

人にはけなされてその悔しさをバネに「クソー、がんばろう」とするタイプと、ほめられてますます調子に乗って「もっとがんばろう」とするタイプの2通りあると思いますが、誰でもほめられるといやな気はしないですよね。

もちろん誰にどんなタイミングでほめられるかによって、嬉しさは変わってきます。「イヤミ」とか「何か下心があるな」と、ねじれて取る人もいます。

私の場合は、自分の尊敬する人、好きな人、認められたい人に一言でもほめられると、恥ずかしいくらい有頂天になっちゃいます。もっともっとがんばろう!とどこまでも木を登っていく典型的お調子者タイプ。

こんな奴ばかりじゃないですけど、まわりにいる人をもっとほめてみましょう。

特に身内や親しい人には、つい〝照れ〟が入ってしまうから「わざわざ口に出さなくても」と思ってしまうんですよね。ほめようと思うと、相手のいいところを、探そうと努力します。

人間って「アラ」のほうが目につきやすいですが、そのあたりは半分目をつぶって、どんどん口に出してほめてみましょう。

その人のことが、もっと好きになる。

照れくさいけど友だちをほめたら
きっぱり!
何か困ったことがあるの?
そんなに下心があるように見えるのか日頃の行いがそんなに…

48

聞き上手になる。

相手の話を
ホントに
「聞く」って
どういう
ことだろう
ただうなずくだけ
なら
赤べこ
にもできる
○×△□
黙って聞くだけ
なら
はにわ
にも
できる
○×△□
相手の頭の中と
同じことをイメージする
努力をすること
白くて
目のまわり
耳が
黒くて…

CHECK! □

別れたあとに、「また会いたいなあ」って思う友達が何人かいます。

何故かなと考えたら、たいていその友達に会ったあとはなんだか元気になっているんです。

ある時気がついた。その友達の共通点は「聞き上手」。彼女たちと一緒にいると、私は実に気持ちよく話しているんですね。

ところで「聞き上手」ってどうすることなのでしょう? ただ黙って「うん、うん」うなずいて聞くこと? 違うなあ。黙って聞いているふりをしても相手が話している最中に、「自分ならこう思う」とか、「次はこの話をしよう」、と考えていてはしょうがないし。

相手の話を、次から次へ引き出してあげることだと思うんです。そしてその時に有効なコトバは、「それで?」「それから?」「もっと聞きたい、もっと話して!」

反対に文句、愚痴、うわさ話はなるべく聞かないようにしています。それらは言っても全然問題の解決にならないし、聞いたほうもあとでぐったりするだけ。「どうすればいい?」だったら、話は別だけれども。

話を聞いていくうちに、相手が新しい自分を発見したり、今やろうとしてることを背中から押してあげられるような、ゆくゆくはそんな聞き手になりたいです。

話す時は相手の目から
ちょっとずれた所を
見るといいんだって
このへん
目をしっかり見つめると
相手にプレッシャーを
与えるらしい

話を聞くことは、相手も自分も元気になる。

49

さりげなくインパクトのある自己紹介をする。

CHECK!

第一印象はかなり後々まで残るらしい
ケラケラ
幼稚園で初めて同じ組になった時お弁当ひっくり返したよねーそそっかしいったら
33年前のことなのに…
第一印象をよくかつインパクトのある自己紹介とは!?
1つは短くカンタンに
2つ目は最近心に残ったトピックスを1つ話そう
私の場合感動したマンガとかねー
サイトー先生…
ブラック
初めまして
私も「ブラックジャックによろしく」読んでます泣けますよね
あとでコミュニケーションのきっかけになったりするのだ

新学期、異動、新しい習い事、引越し。

初めての場所、団体、など、全然自分のことを知らない人の前での自己紹介をどうしたらいいか？　緊張するけど、いい印象にしたいですよね。

「○○です。よろしくお願いします」だと、無難すぎて印象に残らない。かといってだらだらしゃべるのも……。

　最近感動したトピックスをひとつだけ入れる、というのは友達の編集さんに教えてもらったことです。これは誰も知り合いのいない時に、友達をつくるきっかけになるのです。あとで「実は私も……」と声をかけてもらえるかもしれない。

　そしてもうひとつ、自己紹介のあとを、「いろいろ教えてください」で結びます。よくへりくだったつもりで「ご迷惑かけるかもしれませんが……」と言う人もいるけど、なんだかムダにネガティブじゃない？「教えてください」だと、卑屈にならず、いい意味で腰が低い感じ。

　自分のだけでなく、パートナーの上司や友達に自己紹介する時も、結構使えます。

最近自分が感動したトピックスを、ひとつだけ入れる。

・ヒップホップダンス大好き!!
・エアロビクスもする
・最近バレエとジャズダンスもちょこっと始めた
・柔道も初段だ
・冬といえばスノーボード
・キャッチボールにはまってる
・マンガ大好き!!
何でも読むよ～

「子連れ狼」大感動!!
・ジャイアンツファン
・K1も好き。レニー・ボヤンスキー♡
どのひとつにしようっ…

ごぼうが好きとか

50 気乗りしないお誘いは、その場で断る。

CHECK!

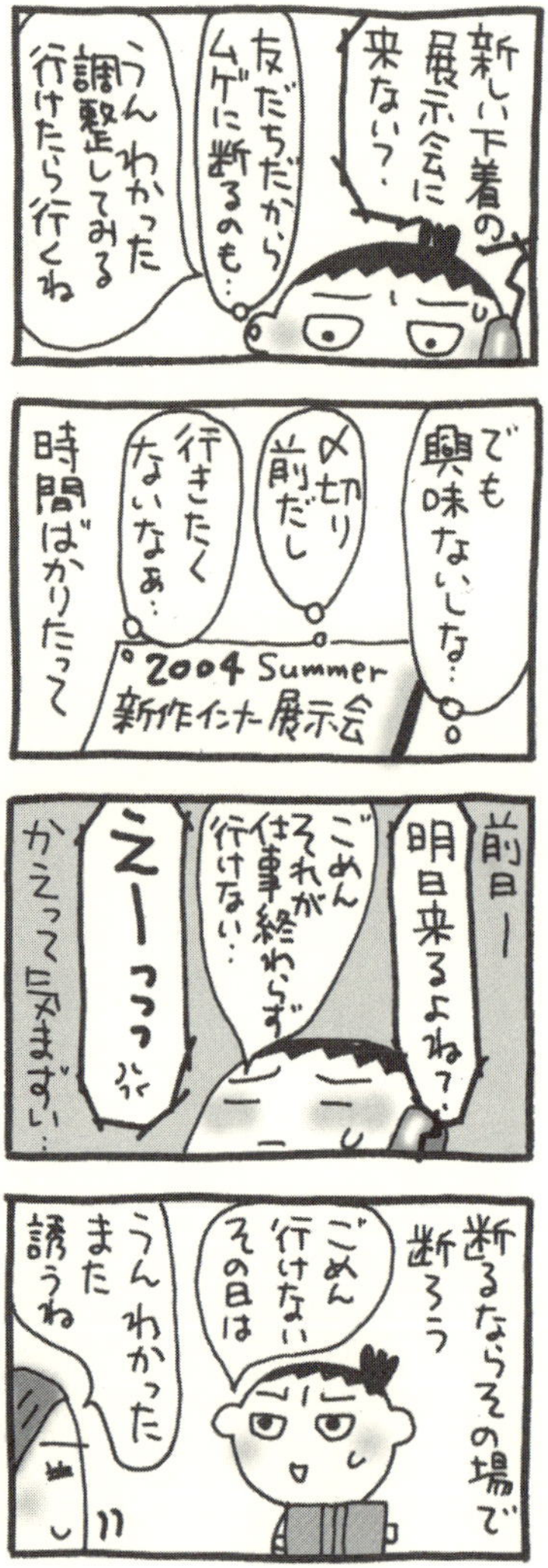

新しい下着の展示会に来ない？
友だちだから ムゲに断るのも…
うん わかった 調整してみる 行けたら行くね
でも興味ないしな…
〆切り前だし
行きたくないなぁ…
時間ばかりたって
2004 Summer 新作インナー展示会
前日ー
明日来るよね？
ごめん それが仕事終わらず行けない…
えーっっっ
かえって気まずい…
断るならその場で断ろう
ごめん 行けない その日は
うん わかった また誘うね

声をかけてくれるのは嬉しいけど、その内容に興味がなくて気乗りのしない場合は困ってしまいます。

かといって断りづらい。断るほうも断られるほうも、決していい気はしない、ということがわかっているから。

でもどうせ断るのなら「考えとくね」などと返事を延ばさずに、その場でさっさと断りましょう。

スケジュール帳を見て、予定が入っているふりをして「ごめん、先約がある!」とか、結婚している人なら「夫の実家で」とか「義母と約束が」と第三者を理由にすると、あまり角が立たなくていいかも。早く断れば、相手だって他の人を誘えるし。

仲のいい友達なら、はっきり「ごめん、興味がない」と素直に断ってもいいと思います。でも断るのは誘いだけで友達を否定したわけじゃないことはちゃんと伝えましょう。そしたらまた違うことで誘ってくれるよ。

答えをあいまいに引き延ばすと、ますます断りづらくなる。

ごめんね
その日は
先約があるの
また
誘ってね
と社交辞令でも
言ったからには
一度は行かないと

51

波風たてずに、ウソをつく。

CHECK! □ □

あれ？ 腕時計 買ったの？ 高そう
ギク!!ッ
うん ずーっと 欲しかったの
スーツでもカジュアルでも合うのやっと見つけて ホント このたび特別セールで少し安くなってたの ホント
でいくら？
12000円 ウソ
そっか ボクのは 2万円
ホントは12万
あなたの本棚のヘソクリちょっと頂いちゃった ホント

ウソをつくことは100％いい、とは言わないけれども、波風をたてないようなウソをつくのは場合によってはいいかなあ、と思います。「ウソも方便」っていうし。

でもいったんウソをつくことにしたら、徹底的にそのウソをつき通さなくてはいけない。

ウソがばれてしまう第一の原因は、うしろめたい気持ちが顔や仕草に出てしまうこと。

その時に有効な秘策を、お教えいたしましょう。
それは必ず最低でもひとつは、「本当のこと」を混ぜることです。
そうすれば、
「全部ウソじゃないもん、本当のことも言ってるもん」
と、後ろめたさが少なくなるんですね。
お試しあれ! でも、ウソはほどほどにしましょう。

最低でもひとつは「本当のこと」を混ぜる。

自分でも気づかないウソをつく時のクセはチェックしておこう
え、なーに?プリン食べちゃったのかーちゃんじゃないよー
ヒク
ヒク
かーちゃん鼻の穴が大きくなってるよ

52

すぐ友達を呼べる家にする。

CHECK! □ □

えっ 近くにいるの? いーよ おいでおいで
でも家の中は
仕事中でごちゃごちゃ
この短時間でどっちを選ぶ?
あきらめる
こっち
限定3ヵ所だけ集中して片付ける
ぬおー
一気に片づけるぞ〜
ぞうきん
いらっしゃい
ぜーっ ぜーっ
こんにちは
どうしたの?

部屋をぴしっと片付けることが苦手です。

あらかじめ来客の予定がある時はできるのだけれども、ふだんの家の中はなんとなーく散らかっています。だから急に友達が来る！　ということになっても、さあどうぞ、と完璧にキレイな部屋でお出迎えということは難しい。でもとにかくこの3カ所だけキレイにすれば、訪問者の印象がよく、気持ちよく過ごすことができることを発見しました。

1. 玄関

　出しっぱなしの靴をしまい、軽くたたきをはく。靴箱の上においてあるカギ、郵便物やその周辺にある傘や運動用具を、とりあえず見えないところにしまう。お香があればたく。

2. トイレ

　ささっとトイレットペーパーなどで掃除をする。タオル、便座カバーを替える。小さい葉っぱや花を飾るとさらにいい感じ。仕上げにエアフレッシュナーをシュッとひと吹き。

3. 　お茶を飲んで話したり、一番長く過ごすことが予想されるダイニングテーブル。使っていない食器、コドモが学校から持って帰ってきたプリントやら新聞やらを、ざざっと片付ける。

　あとは多少散らかっていても気にしないで、友達との会話を楽しみましょう。

まず玄関、トイレ、ダイニングテーブルを片付けよう。

手が汚れてるから洗面所貸してね〜
洗面所はノーチェックだよ
そうきたか

53

自分からあいさつをする。

CHECK!

よしっ 自分から あいさつだっ あの人に しよう
同じマンションの 住人 でも 名前は 知らない→
こんにちは
自分に 言われたと 思って いない↓
無視
こんにちはっっ
ピクッ
こ、こんにちは
ふっ やっぱり あいさつは なごむなぁ
あー びっくりした
ドキドキ

知り合いのいない新しい環境でも、コトバも通じないような場所でも、なんといっても最初は「あいさつ」です。コトバを発したてのコドモにも、「バイバイ」のあいさつから覚えさせるしね。

「あいさつ」は、人と人との潤滑油。

仕事場や自分のいつもいる場所でのあいさつは当然のことできるんだけど、顔だけはわかるけど名前は……というあやふや中間緩衝地帯の人とはどうでしょ？ 自分の住んでいるマンションや地域での話です。たとえ知らない人でもエレベーターやホールで一緒になったら、「おはようございます」など言いましょう。気がつかなくて無視されちゃうこともあるけど、めげずに勇気を出すのだ。駅員さんの「おはようございます」にも、ちゃんと返そう。

年齢も上下関係もこえて、自分の後輩や年下の人でも、こちらからどんどんあいさつをしちゃおう。

あいさつはいくら言っても減らない。相手に聞こえるように、大きな声で。

言った自分が一番気持ちいい。

見知らぬ人でも気やすく声をかけてしまうのはおばちゃんの特権!!
おはようございます
いい天気ですねー
ホントねー
近くの独身寮の管理人さん

54

レジの人に「お願いします」と言う。

CHECK! □

お願いします
の一言で
なごやか〜
この卵以外に特売の出てますよー
卵を取りに走る
だっ
きゅうりが4時から1本サービスになるから持ってきていいですよー
今3時55分!
だっ
いろんな情報をもらってしまった!!
ありがとうございます
はーはー

日々生活をしていると、いろんなサービスを受ける機会があります。

それを「相手は仕事なんだから」と、してもらって当たり前のように受けちゃうと、少しさびしい。

ということで、私は一言添えるようにしてみました。するとちょっとなごやかな雰囲気になります。

タクシーに乗る時は「お願いします」

食事の会計する時に「ごちそうさま」

郵便の配達員には「お疲れさま」

レジの人に「お願いします」

マンションの管理人さんに「お世話になります」

中にはなごやかにならない超無愛想な人もいるけど、まあそれはテレているんだと思って気にせず。

何度も足を運んでくれた宅配便さんにキャンディーを差し入れたり、髪型をほめられたらカットしてくれた美容師さんに報告したり。

サービスされて嬉しかったことを、してもらった相手に伝えると、嬉しさ倍増だよね。

サービスを当たり前のように受けない。

整骨院の先生に「この間のマッサージ、すごい効いた〜」って言ったら…
じゃあ今日はもっと強くやってあげよう〜
い

55

知ったかぶりをしない。

CHECK! □ □

けっこうしていました、私、知ったかぶり。

理由は2つあります。

1.「こんなことも知らないの?」と思われるのが、怖い。知らないと負けた気になる。

2. 何人かで会話している時、途中で「それって、何？」というコトバで会話をさえぎる勇気がない。

結果はたいていの場合、会話から取り残されて、かといって今さら聞くに聞けなくなる。ただあいまいに笑みを浮かべるしかなくて、後味が悪い。早い時点で、勇気を出して聞いちゃえばよかったーといつも思います。

この情報の多い中、何でも知っていることはもはや村の長老でも不可能でしょう。相手も、聞けばちゃんと教えてくれます。たぶん。

変なプライドで知ったかぶりをしてあやふやにしている情報が、実は重要かもしれない。

「聞くはいっときの恥、聞かぬは一生の恥」

「教えて」から、コミュニケーションが深まる。

「マシュー」と「藤井隆」って同一人物だったんだ…
おそるおそる友だちに聞いて真実が発覚
何かの雑誌の「マシューはイギリスの大人気のコメディアン」という架空のプロフィルをうのみにしていた

56

メールは短く。

CHECK! □

メールは便利です。ホントに。

でも、返事が来ないと相手が読んだかどうかわからない、という難点があるので、自分は読んだらできる限り早く返事を出すようにしています。でも、その時になんやらかんやら長く書こうとするとおっくうになって後回しにしちゃうので、とにかくシンプルに短くしています。後回しにして忘れて迷惑をかけた、ということを何度かしでかしているので。

ただし、誰かと一緒にいる時はケイタイのメールはひかえるようにしています。友達と一緒にいるのに、他の人とひんぱんにメールしてるのっていやな感じでしょ。どうしても急ぎの場合だったら相手に一言断るとかね。

また仕事のメールの場合、読んですぐ「了解」という返信をしたがために、安心して締め切りを忘れたこともあります。ごめんなさい。それ以来、締め切りなどは読んだその場でカレンダーに書くようにしました。

重要、緊急なことは、やっぱり電話で確認するのが確実です。

まず「読んだよ」ということだけでも、相手に伝えよう。

絵文字の多いメールへの返信はつい絵文字が多くなる
ピコピコピコ

57

嬉しいこと、感動した気持ちは、どんどんまわりの人に伝える。

CHECK! □ □

ある朝
ダブルで虹が出た
すごい!!
キレイ
みんなに教えてあげよう
今すぐ空見て!!
虹がダブルで出てる!!
ピコ
ピコ
教えてあげた人が感動してることを想像するとますます嬉しい

見た映画がよかった、聴いたCDがよかった、読んだマンガが面白かった、カットしてもらった美容院がよかった、食べたラーメンがおいしかった、かかった整骨院がよかった、となると必ず「教えてあげたい！」と思う人の顔が、頭に浮かんじゃうタイプです。いわゆるおせっかい。

感動は伝染する。

でもそれだけじゃないんです。

感動している時ってコトバじゃなくて、自分から波動がもうガンガン出ていて、その波動に共鳴する人に話すと「よかった！」とどんどん感動が伝わります。そうなると感動の渦は、自分の中でもどんどん大きくなる。何かに感動している時って心がやわらかくなってて、いろんな物の見方ができるようになっているんですよね。

もちろん教えた人、全員が感動するわけじゃないです。それはそれでいい。

それよりも、どんどん教えちゃいましょう。時間とともに悲しいかな、感動は現実の中でどんどん薄れていってしまうから。

58

自分の気持ちを、コトバで伝える努力をする。

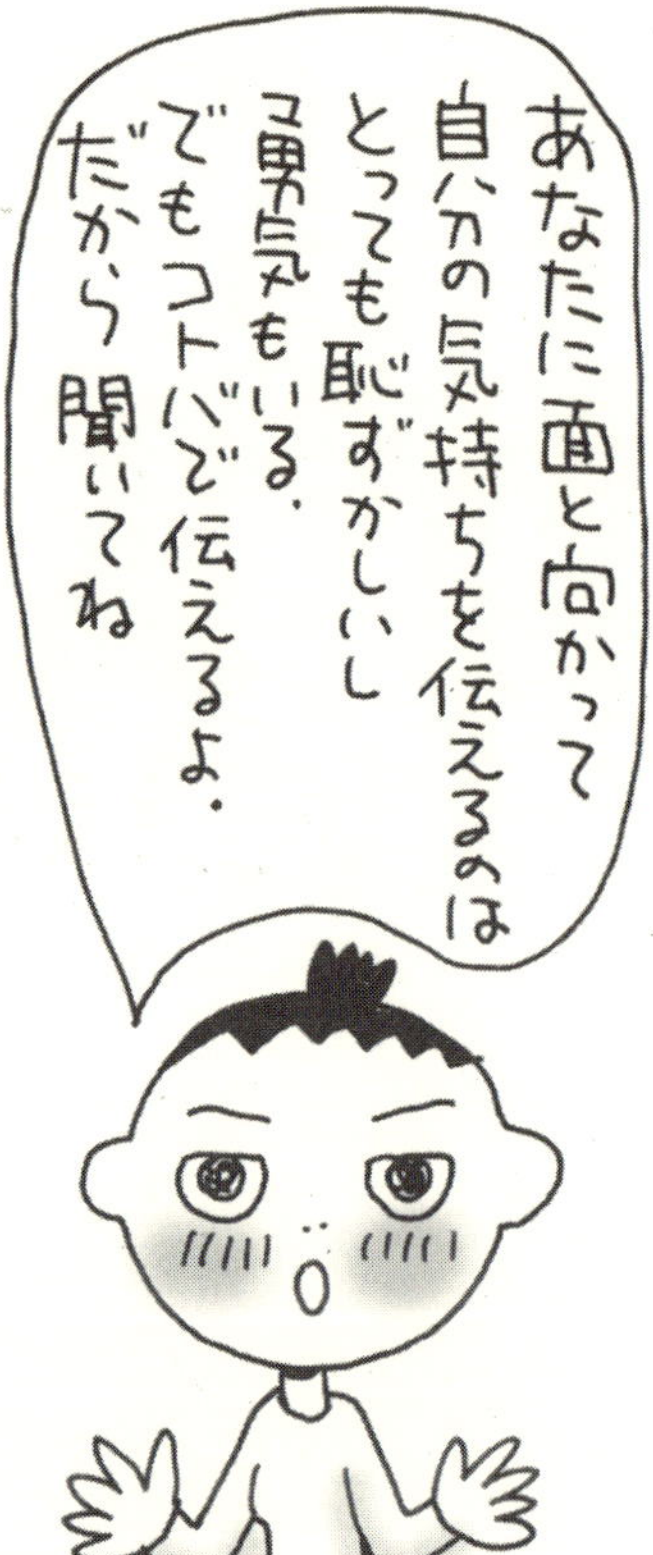
あなたに面と向かって
自分の気持ちを伝えるのは
とっても恥ずかしいし
勇気もいる。
でもコトバで伝えるよ。
だから聞いてね

CHECK!

自分の言ったコトバが「そんなつもりで言ったんじゃない！」ように伝わってしまったという苦い経験は、誰にでもあると思います。相手と自分の信頼関係が影響したり、言い方だったり、タイミングだったり。だからといって最初から「言ってもわからない」とあきらめたら、その人とはそれまでです。

私ははなっから自分の言った話が相手に伝わるのは、平均で30％くらい、と思っています。

悲観しているわけではなく、そう思っていればその数字をいかに上げていこうかと努力できるでしょ？

そしてまず、とにかく「伝えたい」、という姿勢になることだと思います。

決してうまい表現にならなくても、自分の気持ちを順々にコトバに置き換えていく。相手に「わかる？」と確認しながら。実際に会って話しているときなら、私は絵を描いたりします。メモ紙とかに、図解のような絵を。ジェスチャーでもいいと思います。シンパシー（共振）を感じることがあっても、「以心伝心」は限界があります。

特に家族や親しい人とは「わかってくれて当然」という甘えからか、説明が不足しがち。なおさらコトバが必要なんですよね。

勇気を出して、自分の気持ちや考えをどんどん伝えましょう。

「どうせ言ってもわからない」ではなく、「言わない」とわからない。

59

お礼は優先第一位にする。

お礼をハガキでするのが好き
相手の時間を選ばないからね
礼状
ところがー
しまった！忙しさにかまけてたら頂いてから一週間た!!
今さら出しづらい
でも頂いたお菓子は食べている
7
そうならないためのルール
お礼はとにかく最優先!!!
切手とハガキのセットも常備
一言でいいから書いてとっとと送る
ありがとうおいしかった
嬉しさ倍増

CHECK! □ □

小さい時にクリスマスやら何やらに親戚からプレゼントを送ってもらうと、母親に「お礼状を書くのよ！」といちいち言われました。その時はめんどうくさくて、そのままにしておくことも多かったけど、オトナになった今、その重要さがわかるようになりました。あげた人のリアクションがわかるということは、贈った側もさらに嬉しくなるんです。

お礼の方法はふだんメールでやりとりしている友達ならメールでもいいけど、私はハガキが好き。ちょっとした絵も描けるし、相手の時間を選ばない。電話は相手を選んでいます。

そしてお礼の一番のポイントは、頂いたらすぐすること！　何故ならタイミングを逃すと、嬉しい感情が薄れてきて「ま、いっか」で礼状でもメールでも書きづらくなっちゃうんですよね。だから仕事がどんなに忙しくても最優先。そして一言だけ書く。長く書こうとすると、ペンを持つのがおっくうになるし、一言だけだったら仕事がバタバタしていてもすぐ書けそう。ご無沙汰している人も、一言でいいから早くお礼をしよう。

そういえば仕事ができる忙しい人ほど筆まめです。

お礼はタイミングが命。

まだケイタイのメールがそんなに普及してなかったころ
ピー
カタカタカタ
さっきはありがとう! 楽しかった また会おうね!!
友だちからの嬉しいファックス

60

約束の5分前に行く。

CHECK! □

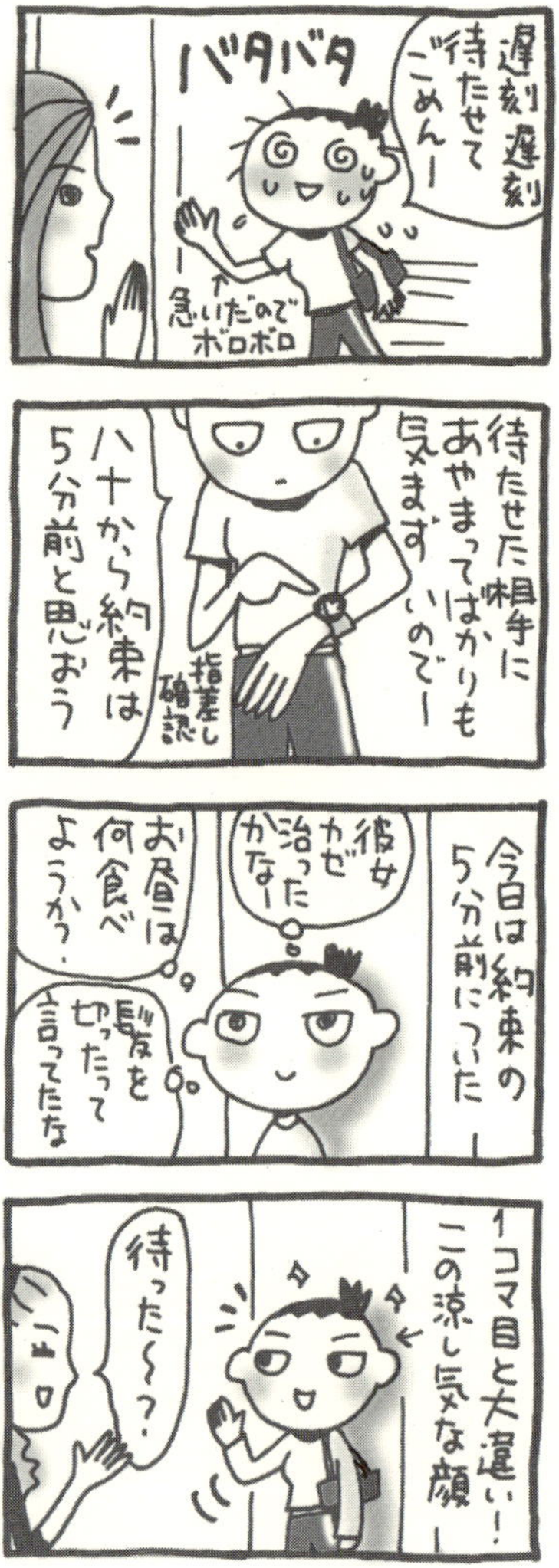

待ち合わせの時、「ゴメン〜、お待たせ！」と言うほう？　言われるほう？
私は結構言うほうでしたね。
最近はケイタイがあるから待ち合わせ時間に間に合いそうもないと、「ごめん、遅れる」と先にあやまってしまえるから、かえって約束に対する緊張感がないのか。いけない、いけない。

でもたったの5分遅れても「時間にルーズ」というイメージになるし、時間にルーズ＝性格もルーズという方式はたちやすいです。でもここで、「性格はルーズじゃないんだよお！」と言い切る自信はないので、逆に時間だけはきっかり守ろうと思います。じゃあどうすればいいか？　この秘策です。

「約束の時間は常に5分前」

と思うことにしました。

実行してみたら、たった5分先に行くだけで、待ち合わせ場所のまわりの景色を見たり、「今日はどんなこと話そうか？」「どんな格好してくるかな？」とか相手のことを考える余裕ができたんです。すると会った瞬間から、コミュニケーションがスムーズにできます。友達でも仕事の人でも。

同じ5分でも、遅れてきてバタバタ「ごめんね～」とは、雰囲気が大違い。

待っている5分間、これから会う相手のことを考える。

大先輩のTさんは必ず約束の30分前には来る。
お待たせするわけにはいかないので35分前に来る
約束の時間があってなきがごとし…
ごめんね遅くなって

おわりに

この本のトップを飾っている、「天高くコブシを突き上げるポーズ」をやってみました？まだ？

じゃあ今ちょっとやってみて。恥ずかしがらずに、誰も見てないって。そーれっ。……。

ここでこのポーズを「テンコブポーズ」と命名することにしました。

このポーズはいわゆる「ウルトラマンの変身ポーズ」もしくは「エイエイオー」の「オー」のポーズ。戦う相手は地球を征服しようとする怪獣だったり、白組の騎馬たちだったりと違うけれども、共通することは、「これから戦うぜっ」というシチュエーション。いやおうなくテンションが上がるはず。

私はこの本の原稿追い込み修羅場睡眠不足生活中、テンコブのポーズを何度やったことか。そしたら、眠くてもネタにつまっても、なんかムラムラと力が出てくるんです、ホントに。

「もしかしたら、ワタシは21世紀人類のとんでもない発見をしてしまったのかも！」

真剣に思っています。

こんな5分もかからないことで、勇気が出てくるもんなんです。もう5分前の私じゃないよ。

5分といえば今から5年前、5分間の柔道の試合を間近で見て「自分も柔道やってみよう。どうせやるなら黒帯を取ろう」と決断しちゃったことがあります。柔道なんてまるで興味がなかったのに。仕事の取材で行った女子の国際大会の会場でした。

当時私は34歳、外見はひょろひょろ、とても柔道最適年齢&体型ではない。たいした運動経験もない。でも自分の直感を信じてやってみようと、小学生に混ぜてもらってやり始めた。そして整骨院の先生がやってる道場に通ったり、果ては大学の柔道部にまで行った。実際受身もできない成人女性が柔道をすることは、想像以上にタイヘンでした。顔もカラダも常に傷だらけ、片耳もつぶれた。

でも1年後、みごと目標の黒帯を取りました。かなり弱い柔道家の誕生です(この1年間の詳しいことは、トメのHP(http://www1.ocn.ne.jp/~tomesan/)で見ることができます)。

あの1年は精神的にも肉体的にもつらいことは多かったけれど、とにかくいろんな出会いがあったし、大収穫は「始める勇気があった自分」と「目標をあきらめなかった自分」を発見したこと。そこには1年前とはキッパリ違う自分がいました。たった5分の試合を見ただけなのにね。

変わらないものと変わっていいもの、この世には両方があると思います。変わっていいものはどんどん変えたほうが楽しい。自分の可能性はもっとあるのに、ブレーキをかけているのは自分だったりする。自分のブレーキがはずれたら、もっと自分が好きになるよね。

変わりたい、と思った瞬間から実はもう、変わり始めているんです。目標があると変わるし、変わっていく過程はワクワクする。だからどんどん新しい自分に会いに行こう。

最後にこの「5分シリーズ」をShes netで取り上げてくれ、常にいろんなヒントをくれた編集長の木内かおりさん（「5分で自己改革」は、Shes netで連載継続中）、厳しいスケジュールの中、力を尽くしてくれたデザイナーの川名潤さん、そしてこの企画を通じて「脱いだ靴は、そろえる」の「師範」にまでなってしまった幻冬舎の穂原俊二さん、そしてたくさん応援してくださったみなさま、本当にありがとうございました。

♪テンコブポーズで、行こうよ。

上大岡トメ

チェックリスト

どれだけ定着したか、チェックしてみよう！

一度トライしてその後続けているものが、どのくらい日常の中に根付いたか、次のリストで実際にチェックしてみましょう。三段階あります。

トライしてえらいっっ!!
1級
（茶帯）
おぬしもなかなかやるな
初段
（黒帯）
あっぱれ！
師範
（赤白帯）

ひとつでも「師範」があったら、かなり自信を持ってください。キッパリ変わっています。

目指せ！　師範。

●身のまわりから、変えてみる！

No.	項目	一級（茶帯）	初段（黒帯）	師範（紅白帯）
01	脱いだ靴は、そろえる。	脱ぐたびに、「あ！ そろえなくっちゃ」と気づく。	一緒に脱いだ人の靴も、ついそろえる。	不特定多数の人の靴が集まる場所で、片っ端からそろえる。
02	処分したい新聞、雑誌は、中身を見ずにさっと束ねる。	一カ月に一度の古紙回収の前の夜までに、部屋中の古新聞、雑誌をかき集める。	雑誌は判型別に、常に重ねられている。	常に本棚にキチンと整理されていて、新しいものを一冊買うと、必ず一冊処分する。
03	冷蔵庫を片付ける。	ごちゃごちゃになってきたら、片付ける。	あらかじめ同じシリーズの密閉容器に入れてから、冷蔵庫へ。	冷凍庫のトビラに、「いつ何を入れたか」の一覧表が貼ってある。
04	光るものを磨く。	洗面所の鏡は、汚れたらすぐふく。	部屋の窓ガラスは、いつもピカピカ。	冷蔵庫のトビラも、ピカピカ。
05	水の流れる場所を、キレイにする。	洗面所のまわりに水が飛び散ったら、すぐふく。	キッチンのシンクまわりも、使い終わったらすぐふく。	フロは出るときに、水をはく。

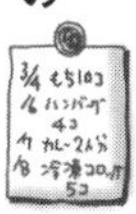

06	今日出したものは、今日中にしまう。	キレイに片付くまで、15分。	キレイに片付くまで、5分。	いつでもキレイに片付いている。

●頭の中から、変えてみる！

No.	項目	一級（茶帯）	初段（黒帯）	師範（紅白帯）
07	忙しい時は、「やらなきゃいけないこと」をすべて書き出す。	一カ月を通して70％やっている。	一カ月を通して90％やっている。	翌月することも、やっている。
08	ダジャレ、なぞなぞを考える。	仲間ウチの飲み会で言って、場を盛り上げる。	社内のミーティングで言って、場をなごませる。	初めてのクライアントの前で言って、コミュニケーションを円滑にする。
09	メモ帳を持ち歩く。	心に響いたコトバをメモる。	友達の誕生日、好きなものをメモる。	彼氏や夫の言ったことを、証拠としてメモる。
10	テレビのスイッチを切る。	食事中はテレビのスイッチを切る。	ニュースと天気予報以外は、スイッチを切る。	テレビ体操と台風情報以外は、スイッチを切る。

●チェックリスト

11	12	13	14	15	16
人と比べない。	自分の気持ちを、紙に書き出す。	急いでいる時こそ、字をていねいに書く。	食べたものを、書きとめておく。	口癖を変えてみる。	迷った時は、勇気がいるほうを選ぶ。
身長を比べない。	ひとりきりになって、心をよーく落ち着けてから書き出す。 	事務関係の書類の字を、ていねいに書く。 	旅行、イベント、デートなど、特別な時だけ書きとめる。 	ついマイナスなコトバが出ても、「なんちゃって！」と言って打ち消せる。 	考えている企画が煮詰まったら、捨てて最初から考える。 
髪の量を比べない。	仕事の合間に、ちゃっちゃと書き出せる。 	伝言メモの字もていねいに書く。 	その季節の初物を食べた時に、書きとめる。 	人の言ったマイナスコトバを「なんちゃって」と、波風たてずに打ち消せる。 	どちらにしようか迷っている企画が2つあったら、両方捨てて最初から考える。 
年齢を比べない。	いつでもどこでも紙があれば書き出して、自分の気持ちを整理できる。 	自分のスケジュール帳の字も、ていねいに書く。 	毎晩書いて、材料まで解析。 	プラスのコトバ以外、口から出ない。 	ゲームの緊張感をさらに出すために、リセットする。 

No.	項目	一級（茶帯）	初段（黒帯）	師範（紅白帯）
17	一人、お店でごはんを食べる。	ファミリーレストランで、ランチ。	ちょっとおしゃれなイタリアンレストランで、ディナー。	バーのカウンターでお酒を飲む。
18	「疲れた」と思ったら、とにかく眠る。	面白そうな遊びをけってでも、家に帰って眠る。	月謝の高い習い事をけってでも家に帰って眠る。	「ごちそうするよ」のコトバをけってでも、家に帰って眠る。

●気持ちから、変えてみる！

No.	項目	一級（茶帯）	初段（黒帯）	師範（紅白帯）
19	難しい仕事は、カンタンな仕事をひとつ終えてからすぐにとりかかる。	メール、郵便物のチェックをしてから、難しい仕事にとりかかる。	難しい仕事に関わる資料を集めてから、難しい仕事にとりかかる。	始業時間前にカンタンな仕事は終わらせておき、始業と同時に難しい仕事にとりかかる。
20	花を生ける。	玄関に花を生ける。	水まわりに花を生ける。	自分の寝室に、花が生けてある。
21	おひさまとともに起きる。	隔日いっしょに起きる。	土日祝日以外いっしょに起きる。	休みなし、毎日一緒に起きる。

●チェックリスト

27	26	25	24	23	22
自分のまわりの「ニオイ」を変えてみる。	タオル、シーツを変えてみる。	いつもより2センチ高いヒールの靴をはく。	夜空を見上げる。	いつも車や電車で通り過ぎてしまう道を、歩いてみる。	金魚なり、植物なり、身近に生き物を飼ってみる。
ポプリケースを持ち歩く。 	タオル、シーツをお気に入りのものに変える。	いつもより5センチ高いヒールをはく。 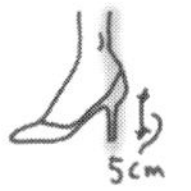	北極星と北斗七星を探す。	一駅、歩いてみる。 	花が咲く植物を鉢に植える。 
お気に入りのオーデコロンをつける。 	枕カバー、布団カバーも変える。	いつもより8センチ高いヒールをはく。 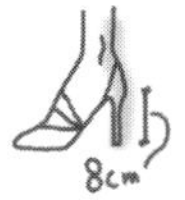	冬の大三角形、夏の大三角形を探す。	乗り換え駅まで歩いてみる。 	イヌ、ネコ、ハムスターを飼う。 
香水をふりまいて歩く。 	シルクのパジャマに変える。	いつもより15センチ高いヒールをはく。 	M78星雲、ウルトラの星を探す。	家から目的地まで、すべて歩いてみる。 	イグアナを飼う。 

28	一日10回、「ありがとう」と言う。	ほぼ毎日、一日10回「ありがとう」と言う。	ほぼ毎日、一日20回「ありがとう」と言う。	「ありがとう星人」というあだ名がつく。
29	満月にウサギを探す。	満月を見て、自分なりに「何に見えるか」見解を出す。 	巻き貝の中の海の音を聞いてみる。 	迷信を試してみる。 
30	「遅い」「今さら」「どうせ」は禁句にする。	時々使ってしまう。	ほとんど使わない。	そのコトバの存在すら忘れる。
31	絵を好きに描いてみる。	ひとり部屋にこもって、誰にも見られないようにして描く。 	人目につくところでも描ける。 	わざわざ人前で描く。 
32	ブルーな時は、歌を口ずさむ。	耳についたCMソングを口ずさむ。	昔、自分の好きだったアーティストの曲を口ずさむ。	最新のヒットナンバーを、ダンスつきで。
33	ラッキーなことを、数える。	「今日はついてる」と思う。	「最近ついてる」と思う。	「自分がツキを呼んでいる」と思う。

●カラダから、外見から、変えてみる！

No.	項目	一級（茶帯）	初段（黒帯）	師範（紅白帯）
34	鏡の前で5分間笑う。	どんな時も鏡を見たら、「笑ってみようかな」と思う。	どんな時も鏡を見たら、反射的に笑う。	どんな時も鏡を見る前から笑っている。
35	姿勢をよくする。	姿勢の悪い人が気になる。	椅子の背もたれに、もたれなくなる。	身長が高くなる。
36	キレイな水を、一日2リットル飲む。	「何飲む？」の問いに「水でいいよ」が「水がいいよ」になる。	常に500ミリリットルの水のペットボトルを持ち歩いている。	常に2000ミリリットルのペットボトルを持ち歩いている。
37	ファーストフードは卒業する。	つきあいでは行くけれど、自分からは行かない。	新製品のCMがテレビで流れても、心が動かない。	道案内の目印の時のみ、使う。
38	仕事の合間にのびをする。	一時間に一回、と決めて仕事の手を休めてのびをする。	仕事しながら、歩きながら、何かしながらでもストレッチができる。	まわりの人も巻き込んで、のびをする。

39	お菓子を食べない一日をつくる。	お菓子を手の届かないところに隠す。	お菓子があっても、見ないふりをする。	ケーキを凝視しても、ガマンできる。
40	全身を鏡に映す。	出かける前に、全身鏡でチェック。	外出先でも、トイレやショーウィンドーで密かにチェック。	道路のカーブミラーでもチェック。
41	アイメイクはちゃんとする。	外出しない時でも、アイブローとマスカラはする。	洋服や季節によって、アイカラーを変える。	目のまわりの筋トレを欠かさない。
42	食べる時に、30回かむ。	食事の時に、時々思い出して、数を数える。	やわらかいものでも30回かむことに努力する。	牛乳を飲む時も、30回かむ。
43	髪の分け目を変えてみる。	左右を時々変える。	毎日いろんな分け目にする。	分け目をたくさん作る。
44	「ラジオ体操」をする。	週3回する。	土日祝日以外はする。	月～日まで、先生の名前を全員言える。

●コミュニケーションから、変えてみる！

No.	項目	一級（茶帯）	初段（黒帯）	師範（紅白帯）
45	「スミマセン」で片付けない。	落としたものを拾ってもらったら、「ありがとう」と自然に言える。	人にぶつかったら「ごめんなさい」と自然に言える。	知らない人に呼びかける時、「ちょっといいですか？」と言える。
46	電話口に相手が出たら、「今、大丈夫？」と必ず聞く。	話し始めてからでも気づいて、「今、大丈夫だった？」と聞く。	「今、大丈夫？」と必ず口から出るようになる。	相手が出た瞬間、今、大丈夫かどうかわかる。
47	いいところを見つけて、ほめる。	メール、手紙でならほめられる。	顔を見て一言、ほめられる。	面と向かって、とうとうとほめられる。
48	聞き上手になる。	さんざんしゃべった後、「あ、聞き上手になるんだった！」と気づく。 	話している途中で、「あ、聞き上手になるんだった！」と気づく。 	相手に会うなり、聞き上手に徹する。 
49	さりげなくインパクトのある自己紹介をする。	自己紹介を聞いた40人中15人は、自分を覚えている。	自己紹介を聞いた40人中30人は、自分を覚えている。	自己紹介を聞いた40人中全員が、自分を覚えている。

50	気乗りしないお誘いは、その場で断る。	3日以内に断る。	その日のうちに断る。	その場で断る。
51	波風たてずに、ウソをつく。	バレても笑ってごまかせるウソをつく。	バレてもフォローができるウソをつく。	バレたら深刻になるウソをつきとおせる。
52	すぐ友達を呼べる家にする。	「散らかってるけど～」と恐縮しながら、友達を部屋にあげる。	「散らかってるけど～」とあっけらかんと友達を家にあげる。	散らかってることに関係なく、友達がリラックスできる雰囲気を作れる。
53	自分からあいさつをする。	名前を知らなくても、近所の人にあいさつする。 	改札の駅員さんにも、あいさつ。 	イヌやネコにもあいさつ。 
54	レジの人に「お願いします」と言う。	お店のレジで「お願いします」と言う。	タクシーに乗る時も、「お願いします」と言う。	無愛想な店員にも「ありがとう」と笑顔で言える。
55	知ったかぶりをしない。	あとでこっそり友達に聞く。 	体中から「何ソレ?」と表現する。 	会話の流れをこわさずに「教えて」と自然に聞ける。 

	56	57	58	59	60
	メールは短く。	嬉しいこと、感動した気持ちは、どんどんまわりの人に伝える。	自分の気持ちを、コトバで伝える努力をする。	お礼は優先第一位にする。	約束の5分前に行く。
	用件のみ、カンタンに。	面白かった映画の「○●」、小説の「△▲」と作品のタイトルを伝える。	「嬉しい」「楽しい」というカンタンな感情は伝えられる。	3日以内にお礼、または礼状を書く。	つとめて5分前に行こうとするので、時間に遅れることはない。
	その日受信したメールを見直して、返信もれがないか確認する。	「自分はどこに感動したか」をカンタンに伝えられる。	「○○だから楽しい」と理由も言える。	翌日までに、お礼、または礼状を書く。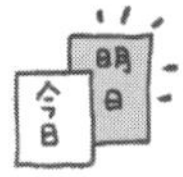	100%、5分前に着いている。
	忙しくても「了解」だけは、すぐ返信する。	相手に伝えた理由も、伝えられる。	「○○だから、私はこう思う」と理由、結論をカンタンに言える。	仕事で手が離せなくても、「お礼をする」というメモを貼って、その日のうちにする。	30分前に着いている。

上大岡トメ（かみおおおか・とめ）

1965年東京都生まれ。東京理科大卒。一級建築士。大成建設勤務を経てイラストレーターに。時に漫画も。運動とはあんまり関係ない生活を送っていたが、32歳で突如HIPHOP DANCEにはまり、34歳で柔道を始め初段取得。小学校時代にできなかった逆上がりも最近克服。山口県宇部市在住。小学生2人の母。「この本の内容を実践して変わったことは、人生うまく行ってても行ってなくても（行ってないように見えても）、楽しめれば全てOK！　ということです。日々、楽しいです」。

トメのホームページアドレス
http://www1.ocn.ne.jp/~tomesan/

キッパリ!

たった5分間で自分を変える方法

2004年7月30日　第1刷発行
2004年9月29日　第11刷発行

著　者　　上大岡トメ

発行者　　見城 徹

発行所　　株式会社 幻冬舎
〒151-0051東京都渋谷区千駄ヶ谷4-9-7
電　話　　03-5411-6211（編集）
03-5411-6222（営業）
振替　　00120-8-767643
印刷・製本所　　株式会社 光邦

検印廃止

ISBN4-344-00654-2　C0095
幻冬舎ホームページアドレス http://www.gentosha.co.jp/

この本に関するご意見・ご感想をメールでお寄せいただく場合は、
comment@gentosha.co.jpまで。